# COMMUNICATE IN CHINESE

# 交际汉语

## 4

CHINA CENTRAL TELEVISION CCTV 9

中国中央电视台英语频道 编

POPULAR SCIENCE PRESS

科学普及出版社

BEIJING

·北京·

**图书在版编目(CIP)数据**

交际汉语 4/ 中国中央电视台英语频道编. —北京：科学普及出版社，
2004. 4

ISBN 7-110-05630-9

Ⅰ.交... Ⅱ.中... Ⅲ.汉语－口语－对外汉语教学－教材 Ⅳ.HI95.4

中国版本图书馆 CIP 数据核字（2003）第 100576 号

科学普及出版社出版

北京市海淀区中关村南大街 16 号 邮政编码：100081
电话：010-62103210 传真：010-62183872
Popular Science Press
16 Zhongguancun Nandajie
Haidian, Beijing 100081
Tel: 010-62103210 Fax: 010-62183872
E-mail: pspress@sina.com
http://www.kjpbooks.com.cn
科学普及出版社发行部发行
中央民族大学印刷厂印刷

\*

开本：889 毫米×1194 毫米 1/32 印张：8 字数：210 千字
2004 年 4 月第 1 版 2004 年 4 月第 1 次印刷
印数：1－9000 册 定价：38.00 元

（凡购买本社的图书，如有缺页、倒页、脱页者，本社发行部负责调换）

**Consultant: Zhang Changming**
顾 问：张长明

**Programme Designers: Sheng Yilai    Jiang Heping**
总策划：盛亦来  江和平

**Chief Editors: Ye Lulu    Yu Suqiu  Lai Yunhe**
主 编：野露露  于素秋  来云鹤

**Translators:【Australia】Cheng Lei  Han Qiuhong**
翻 译：【澳】成 蕾  韩秋红

**Examiner: Ye Lulu**
审 定：野露露

**Executive Editors: Xiao Ye    Shan Ting**
责任编辑：肖 叶  单 亭

**Cover Design: Chen Tong**
封面设计：陈 同

**Proofreader: Wang Qinjie**
责任校对：王勤杰

**Print Production: An Liping**
责任印制：安利平

**Legal Adviser: Song Runjun**
法律顾问：宋润君

随着中国的改革开放，中国与世界各国的交往日益密切，汉语在世界上的影响和使用范围亦日益扩大。汉语正成为许多国家同中国发展友好合作关系、开展经济贸易活动、进行科技文化交流、增进友谊和了解的重要工具和桥梁。

中央电视台历来重视对外汉语教学节目，曾针对不同年龄、不同职业的人们制作了不同形式的系列电视对外汉语教学节目。为那些没有机会在课堂上或来中国学习的外国人创造了一种学习汉语的机会，同时，也帮助他们获得了一种直接了解中国的能力。

为方便国内外电视观众学习《交际汉语》电视系列教学节目，我们将电视节目整理成教材并配套制作了录音带和 VCD 光盘，供观众复习和反复学习之用。

《交际汉语》教材共设40课(40个话题)，分四册出版发行。该教材每册10课，其中1课为复习课。每课内容主要以口语为主，通过人物的日常活动设置情景对话，反映一定的语言环境，使学习者通过汉语口语的学习，逐步掌握汉语日常交际表达能力并对汉语逐步产生兴趣。

《交际汉语》教材把日常生活用语分成若干个话题，每课学习一个话题，并针

China's reform and opening up process has not only spurred on its interactions with the rest of the world, but also expanded the role of the Chinese language in the world. Chinese has become the key tool and bridge between China and other countries in developing friendly relations, conducting business and trade activities, making exchanges in culture and technology, as well as boosting mutual understanding.

For a number of years, China Central Television has placed high importance on bringing Chinese teaching programs to overseas viewers, it has produced a series of Chinese teaching programs tailored for learners of different age groups and different needs. For overseas viewers, this is a convenient alternative to classroom learning or coming to China to study, at the same time, it offers them a direct window on understanding China.

To facilitate viewers of both home and abroad in learning the language from the "Communicate in Chinese" teaching program, we have compiled a set of texts from the show and also produced audio cassettes and VCDs that will allow repeated viewings and studies.

The "Communicate in Chinese" texts have 40 scenarios (40 topics) in total, published as a set of four books, each book comprises ten lessons, the last one being a revision lesson. The teaching materials concentrate on spoken Chinese, through the characters' daily activities as presented in the situational dialogues, language context is reflected and students will find their interest grow as they gradually grasp the ability

对该话题设有情景对话、生词、常用语句、文化背景知识、语言点、注释、替换练习等，力图将理解和使用结合起来。为使国内外电视观众和学习者能较快地掌握所学内容，达到与中国人进行简单交际的目的，我们在电视节目中将每课分三集讲授，每课的前两集以讲解对话为主，并配有文化背景知识和语言点的解释；第三集以复习为主，反复播放情景对话，并配有常用语句和替换练习，充分体现以对话为主，以练习为辅的原则，力求使观众通过观看电视节目和教材的学习，掌握汉语日常生活交际的基本用语。

为帮助初学者理解汉语对话的内涵，尽快掌握汉语的交际能力，我们充分发挥电视的优势，精心制作情景对话并在电视画面上配有生词和常用语句的拼音、汉字和英文字幕，使观众学什么就能看到什么，创造语言环境，力求加深印象。我们聘请中国人民大学教授于素秋撰写部分教材，澳大利亚籍英文专家成蕾女士为该教材作了翻译。我们还特邀加拿大籍著名电视节目主持人大山(Mark Rowswell)担任《交际汉语》电视教学节目的主持人。对他们的奉献，我们表示衷心的感谢。

中国中央电视台英语频道

2003 年 7 月

to communicate in Chinese.

The text has split up expressions that are used in daily life into several topics, each lesson focuses on some of the expressions on the topic, with situational dialogues, new words, common expressions, cultural background, language points, notes, substitutional drills, this integrates comprehension with practical usage. To speed up the learning process for TV viewers and learners so that they can communicate with Chinese people in simple situations, each lesson has been divided into three parts, the first two parts mainly explain the dialogue and include explanations of the cultural background and language points, while the third part is for revision and contains substitutional drills of common expressions. It can be seen that dialogue is given a primary role while exercises complement the learning of conversations. This set of teaching materials and television program aims to allow viewers to become adept at using Chinese to communicate in daily life.

In order to assist beginners gain an innate understanding of dialogues in Chinese and quickly gain communication skills, we made full use of the television medium, to produce situational dialogues and provide pinyin, Chinese and English subtitles onscreen for the new vocabulary and common expressions, so that what viewers see, they can learn, it cultivates a language environment and leaves a lasting impression. We asked Professor Yu Suqiu from the Renmin University of China to write parts of the text, while Ms. Cheng Lei, an Australian-Chinese English consultant translated the text and we invited Mark Rowswell, the Canadian presenter who is a household name in

Chinese TV due to his bi-lingual skills, to host the "Communicate in Chinese" program. We express our sincere gratitude for their work.

July, 2003

**第三十一课** 旅行计划 ................................................ 1
　【会话】旅行计划
　【文化背景知识】在中国旅行
　【语言点】1．"都……还……"句型的用法
　　　　　　2．连词"既然"的用法

**第三十二课** 约会 ................................................ 27
　【会话】约会
　【文化背景知识】人民大会堂
　【语言点】1．"在"字的用法
　　　　　　2．"有"字句

**第三十三课** 购物 ................................................ 49
　【会话】购物
　【文化背景知识】北京古玩城
　【语言点】1．"不但……而且……"句型
　　　　　　2．"咱们"和"我们"的区别

**第三十四课** 看电影/京剧 ................................................ 81
　【会话】看电影/京剧
　【文化背景知识】中国京剧
　【语言点】1．"不能……还要……"句型
　　　　　　2．转折词"不过"的用法
　　　　　　3．"最初、但是、才能"的用法
　　　　　　4．"比如说"的用法

**第三十五课** 理发 ................................................ 105
　【会话】理发
　【文化背景知识】在中国理发
　【语言点】1．副词"稍微"的含义
　　　　　　2．动词"去"的表示法
　　　　　　3．副词"好像"的含义
　　　　　　4．副词"片刻"的含义

# CONTENTS

**Lesson Thirty One**    Travel Plans ..................................................... 2
[Dialogue] Travel Plans
[Cultural Background] Travel in China
[Language Points] 1. "都……还……" sentences
                    2. Using the conjunction "既然"

**Lesson Thirty Two**    Appointments ....................................... 28
[Dialogue] Appointments
[Cultural Background] The Great Hall of the People
[Language Points] 1. How to use the word "在"
                    2. "有" phrases

**Lesson Thirty Three**    Shopping ......................................................... 50
[Dialogue] Shopping
[Cultural Background] Beijing Curio City
[Language Points] 1. "不但……而且……" sentences
                    2. The difference between "咱们" and "我们"

**Lesson Thirty Four**    Watching a Movie/Peking Opera ............ 82
[Dialogue] Watching a Movie/Peking Opera
[Cultural Background] Chinese Peking Opera
[Language Points] 1. "不能……还要……" sentence structures
                    2. How to use the contrary conjunction "不过"
                    3. The use of words "最初，但是，才能"
                    4. Using the phrase "比如说"

**Lesson Thirty Five**    Haircuts ................................................ 106
[Dialogue] Haircuts
[Cultural Background] Chinese Hairdressing Salons
[Language Points] 1. The meaning of adverb "稍微"
                    2. Using the verb "去"
                    3. The meaning of the adverb "好像"
                    4. The meaning of the adverb "片刻"

**第三十六课** 砍价 ............................................ 123

【会话】砍价

【文化背景知识】北京秀水街

【语言点】1. "还"的含义

2. "离"的含义

3. 动词的重叠

4. "多"的用法

5. "再"字的用法

**第三十七课** 量体裁衣 ...................................... 145

【会话】量体裁衣

【文化背景知识】中华老字号 —— 北京瑞福祥绸布店

【语言点】1. 反问句"这不是……?"

2. 选择词"或"的用法

**第三十八课** 体育运动 ...................................... 163

【会话】体育运动

【文化背景知识】中国人与健身运动

【语言点】1. 副词"以后"的用法

2. 副词"差"的含义

**第三十九课** 告别 ............................................ 187

【会话】告别

【文化背景知识】告别的礼仪

【语言点】1. 选择句"要……还是……?"

2. 介词"向"的用法

3. "得"的含义

4. "还以为"的含义

**第四十课** 复习 ............................................ 211

【复习】

**附 录** ............................................ 230

【总词汇表】

**Lesson Thirty Six**  Price Haggling ................................ 124
   [Dialogue] Price Haggling
   [Cultural Background] Beijing Xiushui Street
   [Language Points] 1. What "还" means
                  2. Meaning of "离"
                  3. Using verbs in repetition
                  4. The use of "多"
                  5. How to use the word "再"

**Lesson Thirty Seven**  Tailor-made Clothing ........................ 146
   [Dialogue] Tailor-made Clothing
   [Cultural Background] China's Time-Honored Brand
                       Beijing Ruifuxiang silk shop
   [Language Points] 1. Rhetorical question "这不是……? "
                  2. Using the word "或" to choose

**Lesson Thirty Eight**  Sports ........................................ 164
   [Dialogue] Sports
   [Cultural Background] Chinese and Sports
   [Language Points] 1. How to use the adverb "以后"
                  2. Meaning of the adverb "差"

**Lesson Thirty Nine**  Goodbye ...................................... 188
   [Dialogue] Goodbye
   [Cultural Background] The Etiquette of farewells in China
   [Language Points] 1.Sentence to present alternatives
                  "要……还是……? "
                  2. Using the preposition "向"
                  3. The meaning of "得"
                  4. The meaning of "还以为"

**Lesson Fouty**  Revision ............................................ 211
   [Revision]

**Appendix** ......................................................... 230
   [Vocabulary List]

dì sān shí yī kè　　lǚ xíng jì huà
# 第三十一课　旅行计划

huì huà
## 会话

next week Lan Lan and I start our holidays.

**A**

liú míng yì jiā zài jiā chī fàn
（刘明一家在家吃饭。）

lǐ hóng　　āi　　liú míng　　xià xīng qī wǒ hé lán lan jiù fàng
李红：哎，刘明，下星期我和兰兰就放

　　　　jià le　　wǒ men dào dǐ qù nǎr　　lǚ xíng a
　　　　假了，我们到底去哪(儿)旅行啊？

lán lan　　shì a　　bà ba　　sā jiāo de　　wǒ men dōu shāng
兰兰：是啊，爸爸！(撒娇地）我们都商

　　　　liáng le yí ge xīng qī le　　hái méi dìng xià lái　qù
　　　　量了一个星期了，还没定下来去

　　　　nǎr　　wánr
　　　　哪(儿)玩(儿)！

## LESSON THIRTY ONE
## Travel Plans

 **Dialogue**

where we're going to spend the holidays!

**A**

*(Liu Ming's family eating at home.)*

**Li Hong:** Hey, Liu Ming, next week Lan Lan and I start our holidays, where exactly are we going to travel?

**Lan Lan:** Yeah, dad!(acts cute)We've been discussing for a week, but still haven't decided where we're going to spend the holidays!

刘明：
liú míng

兰兰，我们开车去海边(儿)，怎么样？
lán lan　　wǒ men kāi chē qù hǎi biānr　　zěn me yàng

李红：
lǐ hóng

什么？开车去海边(儿)？开车去海
shén me　　kāi chē qù hǎi biānr　　kāi chē qù hǎi

边(儿)至少也要8个小时，太累了！
biānr　zhì shǎo yě　yào bā ge xiǎo shí　　tài lèi le

兰兰：
lán lan

是啊，爸爸，现在海边也太冷了，
shì a　　bà ba　　xiàn zài hǎi biān yě tài lěng le

不能 游泳！
bù néng yóu yǒng

刘明：
liú míng

那，你们 说我们去哪(儿)？
nà　　nǐ men shuō wǒ men qù nǎr

兰兰：
lán lan

我们去桂林吧！不是说"桂林山
wǒ men qù guì lín ba　　bú shì shuō　guì lín shān

水甲天下"吗？
shuǐ jiǎ tiān xià　　ma

李红：
lǐ hóng

这倒是个好主意！我也想去桂林
zhè dào shì ge hǎo zhú yi　　wǒ yě xiǎng qù guì lín

看看。
kàn kan

Let's go to Guilin!

**Liu Ming:** Lan Lan, how about driving to the seaside?

**Li Hong:** What? Drive to the seaside? Driving to the seaside takes at least eight hours, it's too tiring!

**Lan Lan:** Yes, dad, it's too cold at the seaside now. You can't swim there!

Lan Lan, how about driving to the seaside?

**Liu Ming:** Well, where do you say we will go?

**Lan Lan:** Let's go to Guilin! Isn't there a saying "Guilin's scenery beats that of anywhere in the world "?

**Li Hong:** That's a good idea! I want to go to Guilin ,too.

liú míng wǒ xiǎng wǒ men bào ge
刘明：我想 我们 报个

lǚ xíng shè ba　zhè
旅行社吧！这

yàng yòu shěng shì yòu
样 又 省 事 又

pián yi
便宜。

lǐ hóng nà wǒ men míng tiān
李红：那，我们 明 天

qù lǚ xíng shè wèn wen
去旅行社问问。

 **B**

zài lǚ xíng shè
（在旅行社。）

jiǎ nǐ men hǎo
甲：你们好！

liú míng nǐ hǎo wǒ men xiǎng bào qù guì lín de lǚ yóu tuán
刘明：你好！我们 想 报去桂林的旅游团。

jiǎ hǎo de zhè xiē shì yǒu guān guì lín jǐng diǎn de jiè
甲：好的。这些是有关桂林景点的介

shào zī liào wǒ men xiàn zài yǒu guì lín yáng shuò
绍资料。我们 现在有桂林、阳 朔

sān rì yóu hé guì lín èr rì yóu de tuán
三日游和桂林二日游的团。

lǐ hóng dōu qù nǎ xiē jǐng diǎn a
李红：都去哪些景点啊？

**Liu Ming:** I think we should register with a travel agency! This way we save effort and money.

**Li Hong:** Then, we'll make enquiries with a travel agency tomorrow.

**B**

*(At the Travel Agency.)*

    **A :** Hello!

**Liu Ming:** Hello! We'd like to join a tourist group to Guilin.

    **A :** Fine. This is some information on Guilin's scenic spots. We now have the three-day tour to Guilin and the Yangshuo and two-day tour to Guilin.

**Li Hong:** Which scenic spots are included?

甲：桂林的主要景点都包括了，像七星公园、漓江、阳朔等，但桂林二日游不包括阳朔。

李红：刘明，你说我们报哪个团？

刘明：我看既然到了桂林，就报桂林、阳朔三日游吧！

甲：对，阳朔确实值得一去。那里的蜡染很有名。

李红：那好，我们就报三日游的团。请问，需要多少钱啊？

甲：我帮您查查，您一共多少人？……

we'll join the three-day tour group.

**A** :All of the main scenic spots are covered, like the Seven Star Park, Lijiang River, Yangshuo, etc. But the two-day tour of Guilin doesn't include Yangshuo.

**Li Hong:**Liu Ming, which group do you say we join?

**Liu Ming:**I think that if we're going to Guilin, then we join the three-day tour of Guilin and Yangshuo!

**A** :Yes, Yangshuo is definitely worth a visit. The batik art there is very famous.

**Li Hong:**Alright then, we'll join the three-day tour group. Can you tell me how much it costs?

**A** :I'll look it up for you, how many people are going altogether? ...

## 常 用 语 句
cháng yòng yǔ jù

到底去哪(儿)……？
dào dǐ qù nǎr

我们到底去哪(儿)旅行？
wǒ men dào dǐ qù nǎr　lǚ xíng

都……还……
dōu　　hái

都商量了一个星期了，还没定下
dōu shāng liáng le yí ge xīng qī le　hái méi dìng xià

来去哪(儿)玩(儿)！
lái qù nǎr　wánr

至少……
zhì shǎo

至少也要 8 个小时。
zhì shǎo yě yào bā ge xiǎo shí

报……
bào

报个旅行社吧！
bào ge lǚ xíng shè ba

我们想报去桂林的旅游团。
wǒ men xiǎng bào qù guì lín de lǚ yóu tuán

我们报哪个团？
wǒ men bào nǎ ge tuán

……游
yóu

## 🏺 Common Expressions

Where exactly...?

Where exactly are we traveling to?

already...still...

We've discussed for a week already and we still

haven't decided where we're going!

It'll take at least...

It'll take at least eight hours.

register...

Register with a travel agency!

We'd like to register with(or join)

a tourist group to Guilin.

Which group do we join?

... tour

sān rì yóu　　wǔ rì yóu　　　yí rì yóu
三日游、五日游、一日游……

dōu
都……

dōu qù nǎ xiē jǐng diǎn a
都去哪些景点啊？

jì rán　　　　jiù
既然……就……

wǒ kàn jì rán dào le guì lín　　jiù bào guì lín　　yáng
我看既然到了桂林，就报桂林、阳

shuò sān rì yóu ba
朔三日游吧！

zhí de
值得……

yáng shuò què shí zhí de yí qù
阳朔确实值得一去。

---

### shēng cí
### 生词

| fàng jià | dìng jué dìng | zhì shǎo |
|----------|---------------|----------|
| 放假 | 定(决定) | 至少 |

| dào dǐ | hǎi biān | yóu yǒng |
|--------|----------|----------|
| 到底 | 海边 | 游泳 |

| shāng liáng | kāi chē | guì lín |
|-------------|---------|---------|
| 商量 | 开(车) | 桂林 |

three-day tour, five-day tour, one-day tour...

Which... are included?

Which scenic spots are included?

if..., then...

I think that if we're going to Guilin, then we join

the three - day tour of Guilin and Yangshuo!

to be worth...

Yangshuo is definitely worth a visit.

## Vocabulary

| | | |
|---|---|---|
| start holidays | decide | it'll take at least |
| exactly | seaside | swim |
| discuss | drive(a car) | Guilin |

| | | |
|---|---|---|
| shān shuǐ<br>山 水 | lǚ xíng shè<br>旅 行 社 | qī xīng gōng yuán<br>七星 公 园 |
| jiǎ<br>甲 | lǚ yóu tuán<br>旅游 团 | yáng shuò<br>阳 朔 |
| tiān xià<br>天下 | zī liào<br>资料 | lí jiāng<br>漓江 |
| shěng shì<br>省 事 | sān rì yóu<br>三日游 | jì rán<br>既然 |
| pián yi<br>便宜 | jǐng diǎn<br>景 点 | zhí de<br>值得 |
| bào<br>报 | bāo kuò<br>包括 | là rǎn<br>蜡染 |

### wén huà bèi jǐng zhī shi
### 文化背景知识

## 在中国旅行

中国是一个旅游大国，有着历史悠久的名胜古迹、壮丽的山川和多姿多彩的民族风情。在亚洲以及全世界，中国已成为重要的旅游胜地。

中国的旅游管理部门是国家旅游局。全国各地都设有旅行社，较大的为：中国国际旅行社（专门接待外国游客）；中国华侨旅行社（接待华

COMMUNICATE IN CHINESE 4

| | | |
|---|---|---|
| scenery | travel agency | the Seven Star Park |
| beats | tourist group | Yangshuo |
| world | information | Lijiang Riuer |
| save effort | three-day tour | if |
| cheap | scenic spot | worth |
| register with | include | batik art |

## 🏺 Cultural Background

### Travel in China

China attracts tourists from all over the world, with its rich history reflected in innumerable historical sites and cultural relics, spectacular scenery and architectural masterpieces, as well as a melting pot of ethnicities that give rise to unique and delightful folk customs. China is now the prime travel destination in Asia and throughout the world.

China's travel affairs come under the supervision of the

侨和华人在国内旅行探亲）；中国青年旅行社（接待外国青年、港澳台的青年）；中国国际体育旅游公司；中国文化旅行社；国际旅游公司、中国白天鹅国际旅游公司和中国旅行社等。

随着中国的改革开放，经济的迅猛发展，为满足中外游客的需要，中国各地兴建了许多酒店、旅游专线、旅游商店和专卖店。目前已有星级宾馆3000多家，这些酒店可根据需要办理车票、机票，方便游客购买。到中国的许多人多数都参加有组织的旅游团，因为旅游团为其安排好了一切。游客只是跟着旅行社的日程和导游所指的方向进行观光。导游兼翻译领着您去参观不同的地方，但不久您就会发现中国很大，要去游览的地方太多了，旅游团安排的行程只是中国众多旅游线路的一

China National Tourism Administration. There is a well-developed network of travel agencies around  the country, the larger ones include: China International Travel Service (dedicated to serving international tourists); China Overseas Chinese Travel Service (offers services for overseas Chinese travelling or visiting family in China); China Youth Travel Service (caters to young tourists from overseas) ; China International Sports Travel and China Cultural Travel Service, etc.

With the onset of globalization and China opening its doors to the world, the tourism business has experienced a boom. A huge number of hotels, travel routes, tourism stores have been established around the country. So far China already has over 3000 star-rated hotels, where ticket booking services are conveniently provided. While a majority of visitors to China join tour groups for the ease and convenience, soon many people find that the tour itinerary is far from enough to take them to all the fantastic places they want to visit — China is simply too vast and there are simply too many tourist attractions. To really

段，要想全面了解中国还需自己慢慢地转和熟悉周围的环境。当然您需要购买一份旅游指南和地图，它可以帮您了解中国。您也可以"自主游"，旅行中的一切由自己来办理。

在本课对话中主人公提到桂林，桂林位于中国南部的广西壮族自治区，是一处景色优美以山水闻名的景区。桂林景区有挺拔秀丽的群峰，清澈明净的流水，玲珑瑰丽的洞府，奇异俊美的石头，举世文明。桂林是中国七大旅游重点城市之一，也是一座具有两千年悠久历史的文化名城。一些人认为能在画儿中所看到的山水美如画的景色那只是人所画出来的，不可能真实地存在于世间，但如果您真的步入该景区，您将会被那迷人的山水陶醉，太美了！您可以在桂林乘船到另一景区——阳朔，一天就可以往

see China and experience all of its magic, the best starting point is a travel guide and a map. Once the information is digested, DIY travel becomes a great alternative that lets you decide where and how you want to travel.

In this lesson's dialogue Guilin is mentioned, which is a spectacular scenic area located in southern China's Guangxi Zhuang Autonomous Region. Here you will find awe-inspiring peaks, crystal-clear streams, gorgeous caves, strange and wonderfully shaped rocks that would put modern sculpture parks to shame. In fact, the aptly-named Elephant Trunk Mountain is a good example. Not only is Guilin one of China's seven major tourism cities, it is also a

city steeped in culture and history. It is often said that visitors are so enchanted by the scenery here that they find it hard to believe they're amidst the surreal beauty. You can also take a ferry from Guilin to another scenic spot

返。桂林景区内有象鼻山，山的形状像象鼻。在中国类似这样的风景区太多了，中国有句古话：百闻不如一见。那就请您亲自来一睹为快吧！

### yǔ yán diǎn
## 语言点

1. "都……还……" —— "都" 在汉语里是副词，只能出现在动词或形容词前。"还" 在这里表示进一步说明的意思。

2. "到底去哪儿？" —— 需要得出结果。

3. "至少" —— 需要一定限度。

4. "既然……就……" —— "既然" 连词，表示推断因果关系，

—— Yangshuo, which is an easy day trip. Nor should Guangxi be the only charming stop on your trip to China, the country abounds with places of stunning beauty. As the Chinese saying goes:

seeing is believing. Come and see it for yourself!

## Language Points

1. "都……还……" —— "都" or "everything" is an adverb in Chinese, used only before verbs or adjectives. "还" here usually gives further explanation.

2. "到底去哪儿?" —— Where exactly are we going? The question requires an answer or outcome.

3. "至少" —— It'll take at least, which means the minimum requirement.

4. "既然……就……" —— "Since...then...", is a conjunction, to mean a course of deduction and reasoning, placed at the first section of the sentence

用在复句的前分句，
引出推断所依据的
前提或理由，而且
这个理由对听说双
方来说都是已知事
实。后一分句说出推断的结果。一般情况下，
在后一分句的主语前，多用关联副词"就"。
如：既然你病了，就在家休息吧。

## zhù shì
## 注释

1. 中国学校每年有两个假期——暑假（45天左右）和寒假（30天左右）。

2. 目前，中国各大城市都设有旅行社，旅行社的服务范围很广泛。一般来说，假期出游人们都选择旅行社，因为在时间上有保障，同时也不用为订票和住宿烦恼，旅行社都会安排好。

3. 中国地域辽阔，南北纬度跨度较大。当北方还是冰天雪地时，南方已是鸟语花香了。

that outlines the basis or reason for the judgement, the reason being also one already known to both parties. The next section of the sentence reveals the result of the deduction. Usually, the adverb "就" is placed before the object in the next part of the sentence. *For example:*"既然你病了,就在家休息吧。" Since you're sick, then stay at home and rest.

## Explanatory Notes

1  Chinese schools have two vacations —— summer (around 45 days)and winter (about 30 days).

2  Nowadays most cities in China have travel agencies that offer a wide range of services. Usually, for holiday travel people choose to use travel agencies because the timetable is guaranteed and they take out the hassle of booking tickets and accommodation.

3  China's vast size and north-south geographical span mean that it can be still icy and snowy in the north, but spring is already in the air in the south.

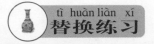

tì huàn liàn xí
**替换练习**

dōu zǒu le liǎng ge xiǎo shí le hái méi dào jiā
**都走了两个小时了还没到家。**

dōu chī le sān wǎn fàn le hái méi bǎo
都吃了三碗饭了还没饱。

dōu dú le yí xià wǔ le hái méi dú wán
都读了一下午了还没读完。

dōu wánr le yì tiān le hái méi huí lai
都玩(儿)了一天了还没回来。

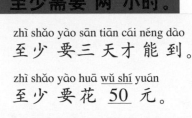

zhì shǎo xū yào liǎng xiǎo shí
**至少需要两小时。**

zhì shǎo yào sān tiān cái néng dào
至少要三天才能到。

zhì shǎo yào huā wǔ shí yuán
至少要花 50 元。

zhì shǎo dài liǎng jiàn yī fu
至少带两件衣服。

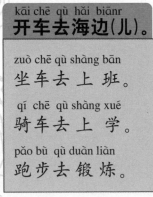

kāi chē qù hǎi biānr
**开车去海边(儿)。**

zuò chē qù shàng bān
坐车去上班。

qí chē qù shàng xué
骑车去上学。

pǎo bù qù duàn liàn
跑步去锻炼。

dōu qù nǎ xiē jǐng diǎn a
**都去哪些景点啊?**

dōu dào qí le méi yǒu a
都到齐了没有啊?

dōu xiě le ma
都写了吗?

dōu chī fàn le ma
都吃饭了吗?

## Substitutional Drills

**We've been walking for two hours already and still haven't got home.**

I've eaten three bowls of rice already and I'm still not full.

I've been reading for a whole afternoon already and I still haven't finished.

He's played for a whole day already and he still hasn't come back.

**It'll take at least two hours.**

It'll take at least three days to get there.

It'll cost at least 50 Yuan.

It should take at least two pieces of clothing.

**Drive to the seaside.**

Take the bus to work.

Ride the bike to school.

Run as exercise.

**Which scenic spots are included?**

Are they all here?

Are they all writen down?

Have they all finished eating?

sān rì yóu
## 三日游

èr rì yóu
二日游

wǔ rì yóu
五日游

yí rì yóu
一日游

bào lǚ xíng shè
## 报旅行社

bào zhōng wén bān
报中文班

bào ge míng
报个名

bào tǐ xiào
报体校

bào yì shù tuán tǐ
报艺术团体

bào zhì yuàn
报志愿

yòu shěng shì    yòu pián yi
## 又省事，又便宜

yòu kuài yòu hǎo
又快又好

yòu hēi yòu liàng
又黑又亮

yòu gāo yòu dà
又高又大

zhí de yì dú
## 值得一读

zhí de yí kàn
值得一看

zhí de yí shì
值得一试

jì rán lái le    jiù zài děng huìr    ba
## 既然来了，就再等 会(儿)吧！

jì rán jīn tiān gàn bù wán    jiù míng tiān zài gàn ba
既然今天干不完，就明天再干吧！

jì rán nǐ kàn bù dǒng    jiù qǐng lǎo shī gěi jiǎng yí xiàr
既然你看不懂，就请老师给讲一下(儿)。

jì rán xià yǔ le    jiù bú yào zǒu le
既然下雨了，就不要走了。

## Register with a travel agency

Register for a Chinese class

Apply for...

Apply to the Sports College

Apply to an Arts Troupe

Apply for a preferred university course

## Three-day tour

Two-day tour

Five-day tour

One-day tour

## Saves effort and money

Fast and good

Black and shiny

Tall and large

## It is worth reading

It is worth a look

It is worth a try

## Since you hare come here, then you'd better wait for a while.

Since you can't finish your work today, then you'd better start   tomorrow.

Since you don't understand, they ask teacher to explain.

Since it rains, then stay here.

# 第三十二课　约会
dì sān shí èr kè　yuē huì

huì huà
## 会话

Xiao Zhang, is everything ready for

liú míng de bàn gōng shì
（刘明 的 办 公 室。）

liú míng　xiǎo zhāng　wǒ men de xīn wén fā bù huì ān pái hǎo
刘明：小 张，我们的新闻发布会安排好

le ma
了吗？

mì shu　liú jīng lǐ　dōu ān pái hǎo le　fā bù huì xià xīng
秘书：刘经理，都安排好了。发布会下星

qī yī shàng wǔ jiǔ diǎn　zài rén mín dà huì táng běi
期一上 午 9：00 在人民大会堂北

jīng tīng jǔ xíng
京厅举行。

## LESSON THIRTY TWO
### Appointments

at the Great Hall of the People.

**A**

*(At Liu Ming's office.)*

**Liu Ming:** Xiao Zhang, is everything ready for our press conference?

**Secretary:** Manager Liu, everything's ready. The press conference will be held next Monday at 9am in the Beijing Room at the Great Hall of the People.

liú míng　qǐng jiǎn ne　dōu yìn hǎo le ma
刘明：请柬呢？都印好了吗？

mì shu　qǐng jiǎn zài zhèr　yí gòng yāo qǐng le diàn shì tái
秘书：请柬在这(儿)。一共邀请了电视台、

diàn tái hé bào shè děng sān shí míng jì zhě cān jiā
电台和报社等　30　名记者参加。

liú míng　yǒu wài guó jì zhě ma
刘明：有外国记者吗？

mì shu　zhǐ yāo qǐng le měi guó　hé fǎ guó yì jiā jīng
秘书：只邀请了美国CNN和法国一家经

jì bào shè de jì zhě
济报社的记者。

liú míng　hǎo　bǎ wǒ de fā yán gǎo dǎ yìn yí fènr
刘明：好，把我的发言稿打印一份(儿)。

Lan Lan, you're dressed up so nicely!

**B**

zài jiā li
（在家里。）

liú míng　lán lan　dǎ ban de zhè me piào liang　yǒu shén me
刘明：兰兰，打扮得这么漂亮！有什么

zhòng yào huó dòng
重要活动？

**Liu Ming:** Where are the invitations? Have they been printed?

**Secretary:** The invitations are here. Altogether we invited 30 journalists from television stations, radio stations and newspaper agencies.

**Liu Ming:** Are there any foreign journalists?

**Secretary:** Just CNN from the US and journalists from a French economic newspaper agency.

**Liu Ming:** Alright, print a copy of my speech.

which are from the US and Franc

*(At home.)*

**Liu Ming:** Lan Lan, you're dressed up so nicely! What important event do you have?

Dad, today I have a date.

兰兰： 爸爸，今天我有约会。

李红： 约会？（警惕地）和谁约会？

兰兰： 妈妈，这么紧张干什么？反正不是和男生约会。

李红： 好，妈妈不问。早点(儿)回来！

刘明： 兰兰，回来吃晚饭吗？

兰兰： 不回来吃了，爸爸。今天晚上我的晚饭是生日蛋糕和冰……，哎呀，忘了拿礼物了！

**Lan Lan:** Dad, today I have a date.

**Li Hong:** Date? *(alarmed)* A date with whom?

**Lan Lan:** Mom, why are you so nervous? Anyway, it's not a date with a boy.

**Li Hong:** OK, mom won't ask. Be back early!

Date? A date with whom?

**Liu Ming:** Lan Lan, are you coming back for dinner?

**Lan Lan:** No, I'm not, dad. My dinner tonight will be birthday cake and ice..., oh my god, I forgot to take the present!

**C**

zài xiào yuán li
（在 校 园 里。）

xiǎo jiāng　　　 míng wǎn yǒu shí jiān ma
小 江：Liz，明 晚 有 时间 吗？

míng tiān shì xīng qī liù　　 yǒu shí jiān
Liz：明 天 是 星 期 六，有 时间。

xiǎo jiāng　 wǒ xiǎng qǐng nǐ chī wǎn fàn
小 江：我 想 请 你 吃 晚饭。

qǐng wǒ chī wǎn fàn　　 nǐ zhòng jiǎng le
Liz：请 我 吃 晚饭？ 你 中 奖 了？

xiǎo jiāng　 nǐ cāi duì le　　 wǒ zhòng le sān bǎi yuán cǎi quàn
小 江：你 猜 对 了。我 中 了 300 元 彩券。

sān bǎi yuán　 qǐng wǒ chī shén me ne
Liz：300 元，请 我 吃 什 么 呢？

xiǎo jiāng　 wǒ qǐng nǐ chī jiǎo zi ba
小 江：我 请 你 吃 饺子 吧！

sān bǎi yuán　　 nà děi chī duō shǎo jiǎo zi　a
Liz：300 元？ 那 得 吃 多少 饺子 啊？

I'd like to invite you for dinner.

xiǎo jiāng　　 míng wǎn
小 江：明 晚

liù diǎn sān shí fēn
6：30，

wǒ zài xué xiào mén
我 在 学 校 门

kǒu děng nǐ
口 等 你。

bú jiàn bú sàn
Liz：不 见 不 散。

Do you have time tomorrow evening?

*(In the School Grounds.)*

**Xiao Jiang:** Liz, do you have time tomorrow evening?

**Liz** : Tomorrow is Saturday, I have time.

**Xiao Jiang:** I'd like to invite you for dinner.

**Liz** : Invite me for dinner? You've won the lottery?

**Xiao Jiang:** You guessed right. I won 300 Yuan in a draw.

**Liz** : 300 Yuan, what are you treating me to?

**Xiao Jiang:** I'll treat you to dumplings!

**Liz** : 300 Yuan? How many dumplings would that be?

**Xiao Jiang:** I'll wait for you at the school entrance at 6:30 tomorrow evening.

**Liz** : Be there or be square.

## 常用语句
cháng yòng yǔ jù

zài ...... jǔ xíng
在……举行

zài rén mín dà huì táng běi jīng tīng jǔ xíng
在人民大会堂北京厅举行。

yí gòng
一共……

yí gòng yāo qǐng le diàn shì tái   diàn tái hé bào shè
一共邀请了电视台、电台和报社

de sān shí míng jì zhě
的 30 名记者。

yǒu ...... ma
有……吗？

yǒu shí jiān ma
有时间吗？

wǒ xiǎng qǐng nǐ
我想 请你……

wǒ xiǎng yào qǐng nǐ chī wǎn fàn
我想 要请你吃晚饭。

## 生词
shēng cí

| yuē huì | ān pái | qǐng jiǎn |
| 约会 | 安排 | 请柬 |
| xīn wén fā bù huì | rén mín dà huì táng | diàn shì tái |
| 新闻发布会 | 人民大会堂 | 电视台 |

## 🏺 Common Expressions

...Held at

Held at the Beijing Room of the Great Hall of the

People.

altogether...

Altogether we invited 30 journalists from television

stations, radio stations and newspaper agencies.

Do you have...?

Do you have time?

I'd like to invite you ...

I'd like to invite you to dinner.

## 🏺 Vocabulary

| Date | arrangement | invitation |
|------|-------------|------------|
| Press Conference | The Great Hall of the People | television station |

diàn tái
电台

bào shè
报社

wài guó
外国

jì zhě
记者

fā yán gǎo
发言稿

dǎ yìn
打印

jīng jì bào shè
经济报社

yāo qǐng
邀请

cān jiā
参加

dǎ ban
打扮

zhòng yào
重要

huó dòng
活动

jǐn zhāng
紧张

fǎn zhèng
反正

nán shēng
男生

zǎo diǎnr
早点(儿)

wǎn fàn
晚饭

dàn gāo
蛋糕

lǐ wù
礼物

wàng le
忘了

zhòng jiǎng
中奖

cǎi quàn
彩券

jiǎo zi
饺子

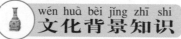

wén huà bèi jǐng zhī shi
## 文化背景知识

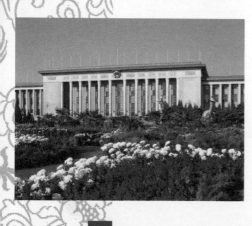

### 人民大会堂

人民大会堂位于北京天安门广场的西侧，是全国人民代表大会召开大会的地方，也是中国国家领导人和人民群众举行政治、文化、经济和外交活动

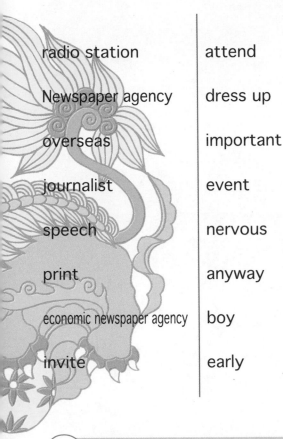

| | | |
|---|---|---|
| radio station | attend | dinner |
| Newspaper agency | dress up | cake |
| overseas | important | present |
| journalist | event | forget |
| speech | nervous | win a prize |
| print | anyway | lottery ticket |
| economic newspaper agency | boy | dumpling |
| invite | early | |

## 🍶 Cultural Background

### The Great Hall of the People

The Great Hall of the People is situated at the east end of Beijing's Tian'an men Square, it is - as the name suggests, where representatives of the people hold their meetings (called NPC or National People's Congress meetings), it is also where state leaders of China and ordinary citizens conduct political, cultural, economic and diplomatic activities.

的场所。

人民大会堂建于1959年，建筑面积达171 800平方米，比故宫的全部建筑面积还要大。大会堂建造得非常壮观，巍峨耸立在天安门广场上，它黄绿相间的琉璃瓦屋檐和高大魁伟的廊柱，以及四周层次分明的建筑，构成了一幅

天安门广场整体的庄严绚丽的图画。

人民大会堂正门面对天安门广场，正门顶上镶嵌着国徽，迎面有12根25米高的浅灰色大理石门柱，进门便是雅典朴素的中央大厅。厅后是宽达76米，深60米的万人大会场。大会场北翼是有5 000个席位的大宴会厅，南翼是人大常务委员会办公楼。大会堂内还有以全国各省、直辖市、自治区名称命名的富有地方色彩的厅堂。

The Great Hall of the People was built in 1959 and is even larger than the Forbidden City, with a grand total of 171, 800 square meters in building area. It is an architectural feast, a stately and magnificent landmark with an eminent position in Tian'an men Square, its gold and green glass  tiles and majestic pillars, as well as the well laid-out structures around it form a picture of splendid beauty.

As the Great Hall of the People faces Tian'an men Square directly, the national emblem can be found on the main entrance gate, and there are twelve 25-meter high marble columns in light grey. Upon entering visitors will be impressed by the elegant central hall, through which one can enter the 76 meters wide and 60 meters long meeting hall that seats an amazing 10,000 people. North wing is a Grand Banquet Hall that seats 5,000, while the south wing is the office building for the standing committee of the National People's Congress. The Hall is also known for its various halls named after different provinces, municipalities and autonomous regions around the country that are also decorated in local styles.

## 语言点 yǔ yán diǎn

**1** 约会（名词）——我有个约会。

**2** 约会（动词）—— 我去和王先生约会。

**3** **"在……"**——"在"是动词，也是介词。作为动词"在"的意思是"存在"，在句中作谓语。"在"的宾语是表示处所的词语。

例如："我儿子在家"。

在一定的语言环境下，"在"也可以不带宾语。

例如："李老师在家吗？" —— "她不在"。

"在"作为介词，与后面的宾语组成介词短语，表示处所，可用在动词前作状语，表示动作行为发生的时间、处所或范围等。

例如："在……时候"、"在人民大会堂"、

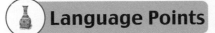

## Language Points

*1* 约会(noun )——— I have a date.

*2* 约会(verb )——— I want to date Mr. Wang.

*3* "在……"——— "在"
is a verb as well as a
preposition. The word
as a verb means to
exist, in the sentence
it is a predicate. The
object for "在" can
be a place or
whereabouts.

*For example:*
"My son is at home."
In certain cases,
"在" can be used without an object.
*For example:*
"Is Teacher Li at home?" ——— "She's not at home."
"在" forms a pre-position phrase with the object
after it, to indicate whereabouts, it can be also used
as an adverbial adjunct in front of verbs, to mean the
time, place or scope of an action or an event.
*For example:*
"At...time", "At the Great Hall of the People",

"在……之间"。

4 "有……吗?" —— "有"是非动作动词,它不表示动作行为,基本意思是"拥有、具有"或"存在"。用"有"作谓语动词的句子,称为"有"字句。

(1)"有"不能受否定副词"不"的修饰。我们不能说"我不有"。只能说"我没有"。

(2)"有"一般不能重叠使用。

(3)"有"字可以和能愿动词搭配。

例如:你会有好运气的。

能有这本书吗?

"有"不能单独受程度副词修饰。我们不能说"他很有"。而应该说"他很有经验。"(有+定语+宾语)

5 "一共" —— 表示数量的总和。

例如:一共有三张票。

"In between...".

4. "有……吗?" —— "有" is a non-action verb, it does not indicate any movement or behavior, it means "to possess, to have" or "to exist". Sentences using "有" as the predicate verb are called "有" sentences.

(1)"有" cannot be used with adverb "不". We can't say "我不有", only "我没有".

(2)"有" cannot be used repetitively.

(3)"有" can be used with inclination verbs,

*For example:*

你会有好运气的。You will have good luck.

能有这本书吗? Will be there the book?

(4)"有" cannot be used with extent adverbs alone. We can't say "他很有", but we can say "He has a lot of experience. 他很有经验。"(has+adjective+object)

5. "一共" —— "altogether" means total of sums.

*For example:* Altogether there are three tickets.

## zhù shì
## 注释

*1* "饺子" —— "饺子"是中国的传统饭，过
去只有过年过节才吃饺子，或者家里团聚的
时候吃饺子。现在，
中国人民的生活水平
提高了，吃饺子已成
为家常便饭，但在人
们的传统印象中，吃
饭时，饭桌上有饺
子，仍不失喜庆的气氛。

*2* "不见不散" —— 意思是没
有见到已约定好的人，不能
离开约定的地点。

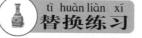

## tì huàn liàn xí
## 替换练习

xīn wén fā bù huì xīng qī yī zài rén mín dà huì táng jǔ xíng
## 新闻发布会星期一在人民大会堂举行。

hūn lǐ xià zhōu zài jiào táng jǔ xíng
婚礼下周在教堂举行。

## Explanatory Notes

*1* "饺子" —— Dumplings are a traditional Chinese food, in the old days dumplings were only eaten at Chinese New Year or festivals, or when there were family reunions. Now that the standard of living for Chinese people has greatly improved, dumplings have become standard fare, but in people's perceptions, dumplings on the table at a meal still add a happy festive touch.

*2* "不见不散" —— "Be there or be square" means that unless the parties meet as agreed, neither party could leave the place of appointment.

##  Substitutional Drills

**The press conference will be held next Monday at the Beijing Room of the Great Hall of the People.**

The wedding will be held next week at the church.

fǎn zhèng bú shì hé nán shēng yuē huì
**反正不是和男生约会。**

kàn wǒ gàn shén me　　fǎn zhèng bú shì wǒ gàn de
看我干什么，反正不是我干的。

bú lùn nǐ zěn me shuō　　fǎn zhèng wǒ bú qù
不论你怎么说，反正我不去。

zài xiào yuán li
**在校园里。**

zài tóng xué zhōng jiān
在同学中间

zài sān nián qián
在三年前

zài èr líng líng sān nián
在 2003 年

zài lóu shàng
在楼上

yāo qǐng jì zhě cān jiā
**邀请记者参加。**

yāo qǐng xiào zhǎng cān jiā
邀请校长参加。

yāo qǐng jīng lǐ cān jiā
邀请经理参加。

yāo qǐng xué sheng cān jiā
邀请学生参加。

dǎ ban de zhè me piào liang
**打扮得这么漂亮。**

chī de zhè me duō
吃得这么多。

chuān de zhè me shǎo
穿得这么少。

gàn de zhè me kuài
干得这么快。

zǒu de zhè me màn
走得这么慢。

qǐng lǐ xiān sheng chī wǎn fàn
**请李先生吃晚饭。**

qǐng yú xiān sheng chī wǔ fàn
请于先生吃午饭。

qǐng zhào xiān sheng hē chá
请赵先生喝茶。

## Anyway, it's not a date with a boy.

Why are you looking at me...anyway I didn't do it.

No matter what you say...anyway I'm not going.

## In the school grounds

Among classmates

Three years ago

In 2003

Upstairs

## Invite journalists to attend.

Invite the principal to attend.

Invite the manager to attend.

Invite students to attend.

## Dressed up so nicely.

Eat so much.

Wear so little.

Work so fast.

Walk so slowly.

## Treat Mr. Li to dinner.

Treat Mr. Yu to lunch.

Treat Mr. Zhao to tea.

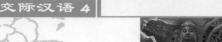

# 第三十三课　购物
dì sān shí sān kè　gòu wù

## 会话
huì huà

Hello! Where are you going?

**A**

zài shì qū lù shang
（在市区路上。）

liú míng　zhè bú shì xiǎo jiāng ma　nǐ hǎo　nǐ yào dào
刘明：这不是小江吗？你好！你要到
　　　nǎr　qù
　　　哪(儿)去？

xiǎo jiāng　nǐ hǎo　liú jīng lǐ　yí wèi péng you gào su wǒ
小江：你好，刘经理。一位朋友告诉我
　　　shuō　běi jīng yǒu yì jiā yà zhōu zuì dà de gǔ wán
　　　说，北京有一家亚洲最大的古玩
　　　chéng　wǒ xiǎng dào nàr　kàn kan　shùn biàn mǎi
　　　城，我想到那(儿)看看，顺便买

## LESSON THIRTY THREE
### Shopping

 **Dialogue**

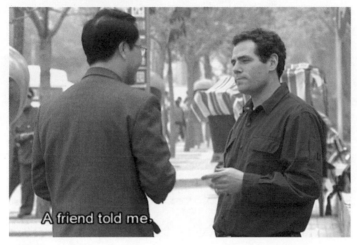

A friend told me.

**A**

*(On a city road.)*

**Liu Ming:** Isn't that Xiao Jiang? Hello! Where are you going?

**Xiao Jiang:** Hello, Manager Liu. A friend told me Beijing has the largest antique centre in Asia. I want to have a look, take the opportunity to buy a present for my

jiàn lǐ wù huí guó shí sòng gěi wǒ fù mǔ
件礼物回国时送给我父母。

liú míng shì ma gāng hǎo wǒ yě xiǎng dào nàr guàng
刘 明： 是 吗？ 刚 好 我 也 想 到 那(儿) 逛

guang yì qǐ zǒu ba
逛，一起走吧！

zài běi jīng gǔ wán chéng
（在北京古玩城。）

xiǎo jiāng wa hǎo dà a
小 江： 哇，好大啊！

liú míng shì a kàn lái yào xiǎng guàng yí biàn děi xū yào
刘 明： 是 啊，看来要 想 逛一遍得需要

jǐ ge xiǎo shí zhè yàng ba nǐ xiǎng mǎi shén
几个小时。这样吧，你想买什

me wǒ lái bāng nǐ cān mou cān mou
么，我来帮你参谋参谋。

xiǎo jiāng zhōng guó de cí qì shì jiè wén míng wǒ men qù
小 江： 中 国的瓷器世界闻 名，我们去

kàn kan cí qì zěn me yàng
看看瓷器怎么样？

Hello! Welcome.

**B**

zǒu jìn yì jiā cí qì diàn
（走进一家瓷器店。）

jiǎ nǐ hǎo huān
甲： 你好！ 欢

yíng guāng lín
迎 光 临。

parents when I go back home.

**Liu Ming:** Really? Just as well I also want to browse there, let's go together!

*(In Beijing Curio City.)*

**Xiao Jiang:** Wow, it's so big!

**Liu Ming:** Yes, it looks like it'll take a few hours to do a full tour. How's this, whatever you want to buy, I'll help advise.

a few hours to do a full tour.

**Xiao Jiang:** China's porcelain is world famous, how about we go and have a look at some porcelain ware?

**B**

*(Walks into a porcelain store.)*

**A :** Hello! Welcome.

floral porcelain ware from the

小 江：你好！小姐，能 把那个花瓶拿给我看看吗？

甲 ：可以。

小 江：请问，这是什么年代的瓷器？

甲 ：这是明 朝 崇 祯时期的(1628 年)青花瓷器，距今已有几百年了。

小 江：这花瓶真漂亮！保存得又这么完好，价格一定 很昂贵吧？

刘 明：那当然了！小江，我看这花瓶不但体积大，而且价格又高，易碎，不好携带。

小 江：那怎么办呢？

**Xiao Jiang:** Hello! Miss, can you show me that porcelain vase?

**A :** Certainly.

**Xiao Jiang:** Could you tell me what period this is from?

**A :** This is blue and white floral porcelain ware from the Chongzhen period of the Ming dynasty, it's been around for a few hundred years.

**Xiao Jiang:** This porcelain vase is really beautiful! And it's been so perfectly preserved, the price must be quite expensive?

**Liu Ming:** But of course! Xiao Jiang, I think the porcelain vase not only takes up a large volume, it's also pricey, easily breakable and difficult to carry.

**Xiao Jiang:** Then what shall we do?

刘　明：
zhè yàng ba　wǒ jiàn yì zán men qù kàn
这样吧，我建议咱们去看
kan zhōng guó chuán tǒng gōng yì zhì pǐn jǐng
看中国传统工艺制品景
tài lán zěn me yàng
泰蓝怎么样？

小　江：
hǎo ba　tīng nǐ de　zán men qù kàn kan
好吧，听你的。咱们去看看
jǐng tài lán
景泰蓝！

刘明/小江：
xiǎo jiě zài jiàn
小姐再见！

甲　：
zài jiàn　huān yíng zài lái
再见，欢迎再来！

**C**

zài chāo shì
（在超市。）

刘明：
lǐ hóng　wǒ men hái
李红，我们还
děi mǎi xiē shuǐ guǒ
得买些水果。
míng tiān yǒu wèi měi
明天有位美
guó péng you yào lái
国朋友要来
zán jiā zuò kè
咱家做客。

**Liu Ming:** I suggest we go and have a look at one of China's traditional craftswares, *cloisonné*, what do you think?

**Xiao Jiang:** Alright, I'll take your advice. Let's go have a look at *cloisonné*!

**Liu Ming/Xiao Jiang:** Bye Miss!

**A:** Goodbye, please come again!

one of China's traditional craftswares,

**C**

*(At the Supermarket. )*

**Liu Ming:** Li Hong, we should buy some fruit too, tomorrow an American friend is coming to visit us.

李　红：正好家里也没有水果了，我们买些苹果吧！

刘　明：老买些什么苹果香蕉的，这种水果在美国一点(儿)也不新鲜。

李　红：那好，我们就买点(儿)美国没有的。

刘　明：我们买个哈密瓜怎么样？

售货员：您要哈密瓜吗？这是从新疆刚刚空运到北京的，倍(儿)甜！

李　红：多少钱一斤？

(photo caption) these are hardly rare in the U.S.

**Li Hong:** Just as well we're out of fruit. Let's buy some apples!

**Liu Ming:** Don't always buy apples, bananas and the like, they're not at all unusual in the U.S.A.

**Li Hong:** OK, let's get something they don't have in the U.S.A.

**Liu Ming:** How about we buy a Hami melon?

**Salesman:** Would you like some Hami melons? These have been just air-freighted to  Beijing from Xinjiang, super sweet!

**Li Hong:** How much is it per *jin*?

售货员：两块八一斤。

李 红：这么贵啊？

售货员：贵吗？前几天三块多一斤呢！

刘 明：您给称一个吧！李红，我们再
买点(儿)莱阳梨吧！

李 红：好，这正宗的山东莱阳梨，美
国肯定没有！

刘 明：中国城倒是有，可没这(儿)
的水灵。

李 红：什么水灵啊！那叫新鲜！

What do you mean, juicy! It's fresh!

刘 明：对，新鲜。你
真不愧是汉
语老师，随时
纠正错误！

**Salesman:** 2.8 Yuan per *jin*.

**Li Hong:** So expensive!

**Salesman:** Expensive? It used to be over 3 Yuan per *jin* a few days ago!

It used to be over 3 Yuan per jin.

**Liu Ming:** Please weigh one for us! Li Hong, let's buy some Laiyang pears as well!

**Li Hong:** Great, I'll bet you can't find genuine Laiyang pears from Shandong province in the U.S.A.

**Liu Ming:** There are some in Chinatown, but not as juicy as the ones here.

**Li Hong:** What do you mean, juicy? It's fresh!

**Liu Ming:** Right, fresh. You really do justice to your Chinese teacher pr-ofession, correcting mistakes at all times!

## 常用语句
cháng yòng yǔ jù

shùn biàn
顺便……

shùn biàn mǎi jiàn lǐ wù
顺便买件礼物。

gāng hǎo
刚好……

gāng hǎo wǒ yě xiǎng dào nàr guàng guang
刚好我也想到那(儿)逛逛。

jù jīn
距今……

jù jīn yǐ yǒu jǐ bǎi nián le
距今已有几百年了。

bú dàn ěr qiě
不但……而且……

wǒ kàn zhè qīng huā cí píng bú dàn tǐ jī dà ěr qiě
我看这青花瓷瓶不但体积大，而且

jià gé yòu gāo yì suì bù hǎo xié dài
价格又高，易碎，不好携带。

bié
别……

bié lǎo mǎi xiē píng guǒ xiāng jiāo de
别老买些苹果香蕉的。

yī diǎnr yě
一点(儿)也……

yī diǎnr yě bù xīn xiān
一点(儿)也不新鲜。

## 🍶 Common Expressions

take the opportunity...

I'll take the opportunity to buy a present.

Just as well...

Just as well I also want to browse there.

Until now...

Until now it's been around for a few hundred years

Not only... but also...

I think the porcelain vase not only takes up a large

volume and it's also pricey and difficult to carry.

Don't...

Don't always buy apples and bananas.

Not at all...

Not at all unusual.

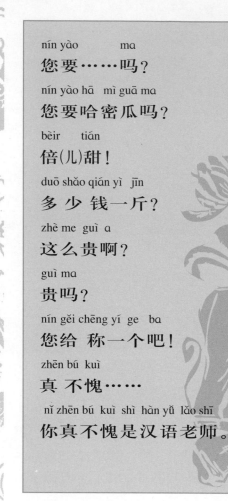

nín yào　　ma
您要……吗？

nín yào hā mì guā ma
您要哈密瓜吗？

bèir　tián
倍(儿)甜！

duō shǎo qián yì jīn
多少钱一斤？

zhè me guì a
这么贵啊？

guì ma
贵吗？

nín gěi chēng yí ge ba
您给称一个吧！

zhēn bú kuì
真不愧……

nǐ zhēn bú kuì shì hàn yǔ lǎo shī
你真不愧是汉语老师。

shēng cí
## 生词

| yà zhōu | gǔ wán chéng | huí guó |
|---|---|---|
| 亚洲 | 古玩城 | 回国 |

| zuì dà de | shùn biàn | fù mǔ |
|---|---|---|
| 最大的 | 顺便 | 父母 |

Would you like some...?

Would you like some Hami melons?

Super sweet!

How much is it per *jin*?

So expensive!

Expensive?

Please weigh one for us!

Really do justice...

You really do justice to your Chinese

teacher profession.

## Vocabulary

| Asia | Curio City | go back to home (country) |
|------|-----------|---------------------------|
| largest | by the way | parents |

cān mou
参谋

cí qì
瓷器

shì jiè
世界

wén míng
闻名

huā píng
花瓶

míng cháo
明朝

chóng zhēn
崇祯

shí qī
时期

qīng huā cí
青花瓷

áng guì
昂贵

dāng rán
当然

tǐ jī
体积

bú dàn　　ér qiě
不但……而且……

xié dài
携带

chuán tǒng de
传统的

gōng yì
工艺

zhì pǐn
制品

jǐng tài lán
景泰蓝

xiāng jiāo
香蕉

xīn xiān
新鲜

hā mì guā
哈密瓜

xīn jiāng
新疆

kōng yùn
空运

bèir tián
倍(儿)甜

liǎng kuài bā
两块八

sān kuài duō
三块多

jīn
斤

chēng zhòng liàng
称（重量）

lái yáng
莱阳

lí
梨

zhèng zōng
正宗

shān dōng
山东

zhōng guó chéng
中国城

shuǐ líng
水灵

zhēn bú kuì
真不愧

suí shí
随时

jiū zhèng
纠正

| | | |
|---|---|---|
| advise | carry | *jin* |
| ceramic ware | traditional | weigh(weight) |
| world | craft | Laiyang |
| famous, renowned | ware | pear |
| porcelain vase | *cloisonné* | genuine |
| Ming dynasty | bananas | Shandong |
| Chongzhen | fresh | Chinatown |
| time period | Hami melon | juicy |
| blue and white porcelain | Xinjiang | really do justice to... |
| expensive | air-freight | at anytime |
| of course | super sweet | correct |
| volume | 2.8 Yuan | |
| not only...but also... | over three Yuan | |

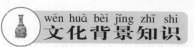

## wén huà bèi jǐng zhī shi
## 文化背景知识

### 北京古玩城

　　北京古玩城坐落于北京的东南部，是目前亚洲最大的古玩艺术交易中心，总建筑面积 25 800 平方米，建筑古朴典雅，装饰富丽堂皇，具有鲜明的中国民族特色。

　　北京古玩城目前有 500 余户民营古玩经销商，他们经营古旧陶瓷、中外书画、玉器古雕、金银铜器、古典家具、古旧地毯、古旧钟表、珠宝翠钻等十大类上千个品种，种类齐全，实力雄厚。

　　北京古玩城集中华文明于一隅，是中外收藏家、古玩爱好者的乐园，同时也是中外旅游观光者领略华夏文明的好去处。

# Cultural Background

## Beijing Curio City

Beijing Curio City is situated in the southeast of the city, as Asia's largest arts and antiques trading center, it has an area of 25,800 square meters, the building is simple and elegant in structure, while the interior decorations form a magnificent and resplendent reflection of China's cultural heritage.

Beijing Curio City currently houses over 500 private antique dealers who trade in ten major categories: ancient porcelain, Chinese and overseas calligraphy and paintings, jade and other sculptures, wares in gold, silver, bronze; antique furniture, antique carpets and rugs, antique watches and clocks, jewellery, emerald and diamonds. There are more than thousands of items for sale and the comprehensive variety really is one of the Curio City's strengths.

Gathering the finest of Chinese art and culture under one roof, the Beijing Curio City is a paradise for collectors and enthusiastics of antiques, Chinese and foreigner alike. At the same time, it is a stunning showcase of Chinese art for the tourists from home and abroad.

## 语言点

① "*距今*"——时间状语。表示从很久以前到现在这段时间。

② "*不但……而且……*"——"不但"和"而且"表示递进的关系。如果两个分句的主语相同，"不但"放在第一分句的主语之后，两个分句的主语不同，"不但"放在第一分句的主语之前。

例如：她不但是我的老师，而且也是我的朋友。（放主语之后）

不但她英语讲得好，她的儿子英语讲得也很好。（放主语之前）

③ "*咱们*"—意思同我们。它们的区别是：用"咱们"一定包括说话人和听话人双方，用

## Language Points

*1* "距今" —— "Up till now", adverbial adjunct for time. Means the length of time from way back in time to now.

*2* "不但……而且……" —— "Not only" and" but also" are used to show an strengthening in emphasis. If the subjects for the two parts of the sentence are the same, "not only" is used after the subject in the first part of the sentence; if there are different subjects for the two parts of the sentence, "not only" is placed before the subject in the first part of the sentence.

*For example:* She is not only my teacher, but also my friend. (after the subject)

Not only can she speak English well, but her son also speaks English well. (before the subject)

*3* "咱们" —— Means "我们" we or us. The difference is:using " 咱们" definitely refers to the

"我们"不一定包括听话人。

比较：李老师，咱们走吧！（一定包括老师在内）

李老师，我们去吃饭吧！（包括老师）

李老师，我们去打球。（不包括老师）

在口语中，"咱们"有时简称"咱"。如：咱家，咱村、咱孩子等。

4 **"两块八一斤"**——"两"数词，必须用在量词前面。

如：两块、两斤、两天、两点钟和两个人等。

"两"和"二"都表示2，说数目时用"二"，如："一、二、三、四"。十以上一百以内的数中的"2"一般用"二"，不用"两"。

5 **"随时"**——副词，作状语。意思是在任何时候。

speaker and the listener, but "我们" doesn't necessarily include the listener.

Comparison: Teacher Li, let's go! (definitely includes the teacher)

Teacher Li, let's go to have dinner! (includes the teacher)

Teacher Li, we're going to play ball game. (doesn't include the teacher)

In spoken language, "咱们" sometimes is abbreviated to "咱".

*For example:* 咱家 our home, 咱村 our village, 咱孩子 our children, etc.

4 "两块八一斤" —— "2.8 Yuan per jin"—The numeral "两", must be used in front of the measurement word.

*For example:*

两块 two Yuan, 两斤 two jin, 两天 two days, 两点钟 two o'clock and 两个人 two persons etc.

"两" and "二" both mean 2, when referring to numbers use "二".

*For example:* "一、二、三、四" one, two, three, four". Numbers over ten but within one hundred that have the number "2" usually use "二", not "两".

5 "随时" —— "at all times", adverb, used as an adverbial clause, meaning at anytime.

## 注释 zhù shì

① 顺便 —— 同时。口语常用语。

② 刚好 —— 正好的意思。口语常用语。

③ 参谋参谋 —— 意思是帮助选择和出主意。

④ "别" —— "别"相当于"不要"的意思。

⑤ "倍（儿）甜" —— 意思是相当甜、特甜，或双倍的甜。

⑥ "正宗" —— 在本课中指"原产地"。

⑦ "中国城倒是有" —— "倒"相当于"不过"。本句意思是："不过中国城是有卖的。"

⑧ "真不愧是" —— "真"意思是"的确"；"不愧"意思是"当得起"（多跟"为"或"是"连用）。"真不愧是"意思是"的确是当之无愧的"。

# Explanatory Notes

*1* 顺便 —— "by the way" or "at the same time". Frequently used in spoken language.

*2* 刚好 —— "just as well". Frequently used in spoken language.

*3* 参谋参谋 —— "give some advice", means to help choose or think of ideas.

*4* "别" —— "don't is equivalent of " "do not".

*5* "倍儿甜" —— "super sweet", means very sweet, extremely sweet, or dorbly sweet.

*6* "正宗" —— "genuine", here in this lesson it means something comes from its original place of manufacture".

*7* "中国城倒是有" —— "There are some at Chinatown", the "倒" is given to mean "but", The sentence means: "But they do sell them in Chinatown."

*8* "真不愧是" —— "真" means: "indeed"; "不愧" means "do justice to"(usually used with '为' or '是'). "真不愧是" means "indeed do justice to..."

tì huàn liàn xí
## 替换练习

shùn biàn dài gěi tā yì běn shū
### 顺 便 带给她一本书。

shùn biàn gào su tā yì shēng
顺 便 告诉她一声。

shùn biàn bǎ shū bāo bāng wǒ ná lai
顺 便 把书包帮我拿来。

shùn biàn bǎ chuāng hu guān shàng
顺 便 把 窗 户 关 上。

gāng hǎo wǒ yě qù nàr
### 刚 好我也去那(儿)。

tā lái shí gāng hǎo wǒ xià kè
她来时, 刚 好我下课。

gāng hǎo wǒ zuò wán zuò yè
刚 好我做 完作业。

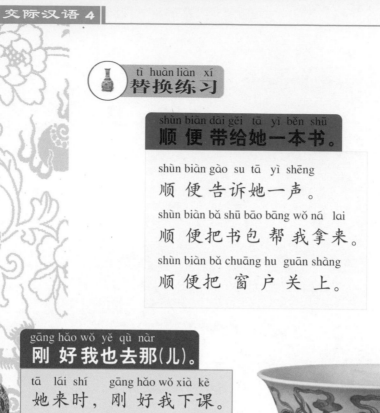

zhè dōng xi bú dài chén ěr qiě tǐ jī yòu dà
### 这 东西不但沉, 而且体积又大。

wǒ wen bú dàn yào xué xí hǎo ěr qiě yào shēn tǐ hǎo
我们不但要学习好, 而且要 身体好。

wǒ men bú dàn yào huì shuō hàn yǔ ěr qiě yào liàn xí xiě hǎo hàn zì
我们不但要会 说汉语, 而且要练习写好汉字。

tā bú dàn gē chàng de hǎo ěr qiě wǔ dǎo yě tiào de bú cuò
她不但歌 唱 得好, 而且舞蹈也跳得不错。

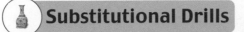

## Substitutional Drills

**Take her a book on the way.**

Tell her about it by the way.

Please get my bag for me while you're at it.

Shut the window while you're at it.

**Just as well I'm also going there.**

When she came, just as well I finished classes.

Just as well I finished the homework.

**This object is not only heavy, it's also bulky in volume.**

We not only have to study well, we also have to be healthy.

We not only should be able to speak Chinese, but we must try to write Chinese well.

She not only sings well, but her dancing is quite good too.

yì diǎnr yě bù xīn qí
**一点(儿)也不新奇。**

yì diǎnr yě bù nán
一点(儿)也不难。

yì diǎnr yě méi xué huì
一点(儿)也没学会。

yì diǎnr yě bù dǒng
一点(儿)也不懂。

nín yào xī guā ma
**您要西瓜吗?**

nín yào zhè běn shū ma
您要这本书吗?

nín yào mǎi diǎnr shén me ma
您要买点(儿)什么吗?

jù jīn yǐ yǒu yì qiān nián le
**距今已有一千年了。**

jù jīn yǐ sān nián le
距今已三年了。

jù jīn yǐ yì bǎi duō nián le
距今已一百多年了。

duō shǎo qián yì hé
**多少钱一盒?**

duō shǎo qián yì píng
多少 钱一瓶?

duō shǎo qián yí gè
多少 钱一个?

duō shǎo qián yì bāo
多少 钱一包?

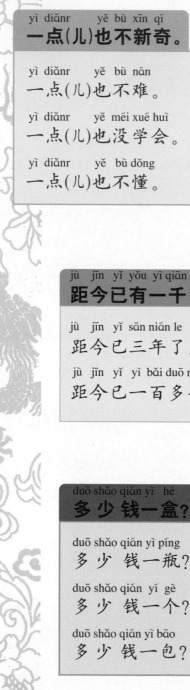

**Would you like some watermelons?**

Would you like this book?

Would you like to buy something?

**Not at all new.**

Not hard at all.

Didn't learn anything.

Doesn't know anything.

**Up till now it's been one thousand years.**

Up till now it's been three years.

Up till now it's been over one hundred years.

**How much is it per box?**

How much is it per bottle?

How much is it for one?

How much is it per pack?

tián ma
**甜吗?**

là ma
**辣吗?**

zhòng ma
**重 吗?**

báo ma
**薄吗?**

sūi shí jiào wǒ
**随时叫我。**

sūi shí xiū lǐ
**随时修理。**

sūi shí lái
**随时来。**

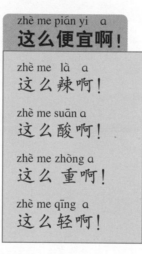

zhè me pián yi a
**这么便宜啊!**

zhè me là a
**这么辣啊!**

zhè me suān a
**这么酸啊!**

zhè me zhòng a
**这么重啊!**

zhè me qīng a
**这么轻啊!**

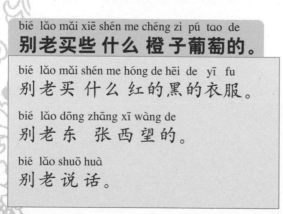

bié lǎo mǎi xiē shén me chéng zi pú tao de
**别老买些 什么 橙子葡萄的。**

bié lǎo mǎi shén me hóng de hēi de yī fu
**别老买 什么 红的黑的衣服。**

bié lǎo dōng zhāng xī wàng de
**别老东 张西望的。**

bié lǎo shuō huà
**别老说话。**

**Call me at anytime.**

Repair at anytime.

Come at anytime.

**Is it sweet?**

Is it hot/spicy?

Is it heavy?

Is it thin?

**So cheap!**

So hot/spicy!

So sour!

So heavy!

So light!

**Don't always buy oranges, grapes and the like.**

Don't always buy red, black

clothes and the like.

Don't always look around.

Don't talk all the time.

dì sān shí sì kè　　kàn diàn yǐng ／ jīng jù
# 第三十四课　看电影／京剧

huì huà
**会话**

**A**

| | |
|---|---|
| lǐ　hóng | xiǎo jiāng　míng tiān wǒ men bān qù kàn diàn yǐng |
| 李　红： | 小江，明天我们班去看电影， |
| | nǐ qù bú qù |
| | 你去不去？ |
| xiǎo　jiāng | wǒ zuì ài kàn diàn yǐng le　　lǐ lǎo shī　　diàn |
| 小　江： | 我最爱看电影了！李老师，电 |
| | yǐng shén me míngr |
| | 影什么名(儿)？ |
| lǐ　hóng | yīng xióng |
| 李　红： | 《英雄》。 |

# LESSON THIRTY FOUR
## Watching A Movie/Peking Opera

 **Dialogue**

I love watching movies!

**A**

**Li Hong:** Xiao Jiang, tomorrow our class is going to see a movie, do you want to come?

**Xiao Jiang:** I love watching movies! What's the name of the movie, Teacher Li?

**Li Hong:** " Hero ".

小　江：太好了！我喜欢 张艺谋导演的
　　　　电影。

同学甲：李老师，你不知道，小江是张
　　　　艺谋的影迷。听说，这部电影
　　　　还获奥斯卡提名了呢！

小　江：是啊！

李　红：不过，我也喜欢看历史题材的
　　　　电影。小江，你最喜欢看哪一
　　　　类的电影？

Zhang Yimou's films.

**Xiao Jiang:** Excellent! I like movies directed by Zhang Yimou.

**Student A:** You don't know, Teacher Li, that Xiao Jiang is a fan of Zhang Yimou's films. I hear that this movie got Oscar nominations!

**Xiao Jiang:** Yes!

**Li Hong:** But I also like historical films. Xiao Jiang, what kind of films do you like the most?

小江：我喜欢看恐怖片和科幻片，像
　　　《星球大战》那样的。你呢？

同学甲：我喜欢看惊险片和喜剧片。看
　　　惊险片刺激，喜剧片呢，可以
　　　忘掉考试的痛苦。

小江：（笑）不过，李老师，中国功
　　　夫片也很好看。比如说，《少林
　　　寺》、《卧虎藏龙》……。

For example: "Shaolin Temple".

**Xiao Jiang:** I like watching horror films and science fiction films, like "Star Wars".

**Classmate A:** What about you?

I like watching thrillers and comedies. Thrillers are exciting, whereas comedies can make you forget the pain of exams.

like "Star Wars". What about you?

**Xiao Jiang:** *(laughs)* But, Teacher Li, Chinese Kung Fu films are very good too. For example: "Shaolin Temple", "Crouching Dragon, Hidden Tiger"....

**B**

刘 明： 小丁，昨天陪美国客人去长安
大戏院看京剧，感觉怎么样？

小 丁： 怎么样？美国客户倒是看得有滋
有味(儿)的，可我都快睡着了！

刘 明： 小丁，京剧可是咱们中国的国
粹啊！年轻人不能光跳迪斯科，
唱流行歌曲，还要了解中国的
传统文化。

小 丁： 我明白。昨天
我也挺尴尬的。
美国人问我京
剧脸谱，什么
花旦啊，丑角

The American client was watching it

Xiao Ding, yesterday you accompanied

**Liu Ming:** Xiao Ding, yesterday you accompanied the American guests to the theatre to watch Peking Opera, how was it?

**Xiao Ding:** How was it? The American client was watching it in fascination and interest, but I nearly fell asleep!

**Liu Ming:** Xiao Ding, Peking opera is the quintessence of Chinese culture! Young people shouldn't just dance to disco and sing pop songs, you should also understand Chinese traditional culture.

**Xiao Ding:** I understand. Yesterday I was pretty embarrassed too. The American asked me about Peking

learn Peking Opera!

啊，青衣啊，我都说不清楚。

刘明：是啊，最初我也和你一样，听不懂，也看不懂。但京剧就像中国茶一样，得慢慢地品，才能品出味道来。

小丁：是啊，刘经理。现在还有不少外国人专门来北京学唱京剧呢！

刘明：小丁，你去订四张明天的票，我请你、李红、兰兰一起去看京剧！

小丁：（惊讶地）什么？明天还看京剧？！！

Opera masks, like Huadan, Choujue, Qingyi, all of them I didn't know.

**Liu Ming:** Yes, at first I was just like you, couldn't understand it by listening or watching. But Peking Opera should be savored slowly like Chinese tea, then you can appreciate its essence.

**Xiao Ding:** Yes, Manager Liu. Now there are many foreigners who come to Beijing especially to learn Peking Opera!

**Liu Ming:** Xiao Ding, please book four tickets for tomorrow, I'll take you, Li Hong, and Lan Lan to watch Peking Opera!

**Xiao Ding:** *(Surprised)* What? Going to see Peking Opera again tomorrow?!!

## <sub>cháng yòng yǔ jù</sub> 常 用 语句

tīng shuō
听说，……

tīng shuō　zhè bù diàn yǐng hái huò ào sī kǎ
听说，这部电影还获奥斯卡

tí míng ne
提名呢！

wǒ xǐ huan
我喜欢……

wǒ xǐ huan zhāng yì móu dǎo yǎn de diàn yǐng
我喜欢 张艺谋导演的电影。

wǒ zuì ài
我最爱……

wǒ zuì ài kàn kǒng bù piān hé kē huàn piān
我最爱看恐怖片和科幻 片。

bú guò
不过，

bú guò　 lǐ lǎo shī　zhōng guó gōng fu piān yě hěn hǎo kàn
不过，李老师，中 国 功夫片也很好看。

bù néng　　　　　　hái yào
不能……，还要……

bù néng guāng tiào dí sī ke　 chàng liú xíng gē qǔ
不能 光 跳迪斯科，唱 流行 歌曲，

hái yào liǎo jiě zhōng guó de chuán tǒng wén huà
还要了解中 国的传 统 文化。

zuì chū　　dàn　　　　cái néng
最初，但……，才能……

## 🏺 Common Expressions

I hear that, ...

I hear that, this movie was nominated for an Oscar!

I like...

I like films directed by Zhang Yimou.

I love...most

I love watching horror and science fiction films most

But,

But, Teacher Li, Chinese Kung Fu films are really

good too.

Can't..., also...

You can't also dance to disco, and sing pop songs,

you have to also understand Chinese traditional

culture.

At first, but..., then ...can...

zuì chū wǒ hé nǐ yí yàng  dàn jīng jù jiù xiàng
最初我和你一样，但京剧就 像

zhōng guó chá yí yàng děi màn màn de pǐn    cái
中 国茶一样 得慢 慢 地品，才

néng pǐn chū wèi dao lái
能 品出味道来。

bǐ rú shuō
比如说，

bǐ rú shuō    shào lín sì
比如说，《少林寺》……

## shēng cí
## 生词

| diàn yǐng | tí míng | jīng xiǎn piān |
| --- | --- | --- |
| 电影 | 提名 | 惊 险 片 |
| yīng xióng | bú guò | xǐ jù piān |
| 英 雄 | 不过 | 喜剧片 |
| dǎo yǎn | tí cái | xīng qiú dà zhàn  diàn yǐng míng |
| 导演 | 题材 | 星 球大战（电影名） |
| zhāng yì móu  rén míng | lèi | cì ji |
| 张艺谋（人名） | 类 | 刺激 |
| ào sī kǎ | kǒng bù piān | tòng kǔ |
| 奥斯卡 | 恐怖片 | 痛 苦 |
| yǐng mí | kē huàn piān | gōng fu piān |
| 影迷 | 科幻片 | 功 夫片 |

**At first I was just like you, but Peking Opera**

**should be savored slowly like Chinese tea, then**

**you can appreciate its essence.**

**For example:**

**For example: "Shaolin Temple"...**

## 🍶 Vocabulary

| | | |
|---|---|---|
| movie | nominate | thriller film |
| hero | but | comedy film |
| director | theme, subject | Star Wars(name of film) |
| Zhang Yimou (person's name) | type | Exciting, thrilling |
| Oscars (academy awards) | horror film | pain |
| Film buff | science fiction film | Kung Fu film (or martial arts film) |

shào lín sì　　diàn yǐng míng
少林寺（电影名）

wò hǔ cáng lóng　diàn yǐng míng
卧虎藏龙（电影名）

kè hù
客户

jīng jù
京剧

jù yuàn
剧院

gǎn jué
感觉

yǒu zī yǒu wèi
有滋有味

zán men
咱们

guó cuì
国粹

nián qīng rén
年轻人

liú xíng gē qǔ
流行歌曲

dí sī kē
迪斯科

chuán tǒng
传统

wén huà
文化

gān gà
尴尬

liǎn pǔ
脸谱

huā dàn
花旦

chǒu jué
丑角

qīng yī
青衣

pǐn
品

wèi dao
味道

zhuān mén
专门

xué chàng
学唱

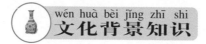

wén huà bèi jǐng zhī shi
文化背景知识

## 中国京剧

　　京剧是地地道道的中国国粹，因在北京形成而得名。京剧在中国众多的戏曲中具有全国性和典型性。京剧的剧目丰富，表现细腻，流传广

| | | |
|---|---|---|
| Shaolin Temple (name of film) | quintessence of Chinese culture | young women character |
| Crouching tiger hidden dragon (name of film) | young people | clown character |
| | pop songs | respectable women character |
| client | disco | savour |
| Peking Opera | traditional | essence, flavour |
| theatre | culture | especially |
| feel | embarrassed | learn to sing |
| fascinated and interested | face mask | |
| we, our | | |

## Cultural Background

### Chinese Peking Opera

It doesn't get any more quintessentially Chinese than Peking Opera, so named because it was first formed here. Peking Opera is perhaps the most national and most typical of all Chinese local opera styles. A wide repertoire exists for Peking Opera, the performances offer great subtlety and

泛，影响也最大。京剧最初不是土生土长的北京戏曲，它是在"徽剧"、"汉戏"的基础上吸收"昆曲""戈腔"、"秦腔"和一些地方小调的精华，同时结合北京的语言特点，使用二胡、京胡等乐器，加以融化和演变逐渐形成的一门成熟的艺术。

京剧表演时，戏中角色在脸上涂上某种颜色以象征个人的性格和品质、角色和命运，这是京剧的一大特点；同时，也能帮助观众理解剧情。如：剧种的红脸含有褒义，代表忠勇者；黑脸为中性，代表猛智者；蓝脸和绿脸也为中性，代表草莽英雄；黄脸和白脸含贬义，代表凶诈者；金脸和银脸是神秘，代表神妖。

除颜色外，京剧还有脸谱，它起源于上古时期的宗教和舞蹈面具。脸谱的勾画也具有象征意义。如：狠毒的粉脸、满脸都是白色的粉脸、只涂鼻梁和眼窝的粉脸，面积大小和部位不同

have gained enormous popularity. However, originally Peking Opera was not a Beijing home-grown product, it is in fact an amalgamation of "Anhui opera" "Han theatre", with the addition of influences by "Kunqu", "Geqiang", "Qinqiang" and other folk music. Peking Opera is a mature art form that has evolved through the ages and makes use of instruments such as the Erhu (a two-stringed instrument), Jinghu, at the same time combining the characteristics of Beijing dialect.

One of the most fascinating and dramatic elements of Peking Opera has to be the painted faces that re-semble masks—characters' personalities, integrity, role and even destiny are reflected in the masks. It also helps the audience understand the story, for example: a red face is for heroes; a black face is neutral, used for the fierce or highly intelligent roles; blue and green faces are also neutral and represent grass roots heroes; yellow and white faces are for the bad guys; while gold and silver faces symbolize mystery and are used for the supernatu-ral characters.

Aside from colour, Peking Opera also has masks that originated from ancient religious and dance masks. The painting of the face mask is symbolic, for example: the evil

标志着阴险狡诈的程度不同。一般说来，面积越大就越狠毒。

京剧表演的角色有不同分类，如："生"、"旦"、"净"和"丑"。"生"是男性正面角色，"旦"是女性正面角色，"净"是性格鲜明的男性配角，"丑"是幽默滑稽或反面人物。每种角色都有表明身份的脸谱和扮相等，只要演员一上场，你一看便知。

### 语言点 yǔ yán diǎn

① "不能……还要……"——"还要"连词，表示进一步补充说明。

② "不过"——转折词。"不过"的意思与"可是"相同，但程度比"可是"轻，且多用于口语。

③ "最初……，但……，才能……"——"最初"：时间状语。"但"：但是，转折词。"才"：关联词。这是一个条件复句。前半句指出条件，后半句才能产生结果。

④ "比如说"——打比方，举例说明。

white face can be modified to show degree of "evil" according to how much of the face and what area of the face is painted white. Usually, the whiter the face, the more wicked the character.

Peking Opera has a number of roles, such as "sheng, dan, jing, chou". Sheng refers to a virtuous male role, dan means a virtuous female role, a jing character is a male supporting role with distinct personality, while "chou" or clown refers to a comical character. With each character made up according to their roles, you'll know who's who as soon as they appear onstage.

## Language Points

*1* "不能……还要……" —— "还要" is a conjunction, gives further explanation.

*2* "不过" is a transitional word. "but" has the same meaning as "but". "but" is sometimes more frequently used in spoken language.

*3* "最初……, 但……, 才能……" —— "最初" is an adverbial adjunct for time. "但" is a transitional word. "才" is an adverb. This is a conditional clause. The first half of the sentence points out the condition, while the second half gives the result.

*4* "比如说" —— To give examples in explanation.

zhù shì
**注释**

① 听说 —— 听别人说过，但不确切。

② 有滋有味 —— 形容很有兴趣，很喜欢。

tì huàn liàn xí
**替换练习**

tīng shuō　wǒ de hàn yǔ kǎo shì tōng guò le
**听说，我的汉语考试通过了。**

tīng shuō　wǒ mā ma yào lái kàn wǒ
听说，我妈妈要来看我。

tīng shuō　zhè běn shū hěn yǒu yì si
听说，这本书很有意思。

wǒ xiǎng qù kàn diàn yǐng　bú guò　wǒ xià wǔ yǒu kè
**我想去看电影，不过，我下午有课。**

zhè hái zi hěn kě ài　bú guò　tài táo qì le
这孩子很可爱，不过，太淘气了。

zhè cài hěn hǎo chī　bú guò　yǒu diǎnr　tài xián le
这菜很好吃，不过，有点(儿)太咸了。

### Explanatory Notes

1 "我听说" —— "I hear that" means having heard something from someone, but not accurate.

2 "有滋有味" —— It means to describe doing something with interest, like it very much.

### Substitutional Drills

I hear that, I passed my Chinese exam.

I hear that, my mom is coming to visit me.

I hear that, this book is very interesting.

I want to go see a movie, but I have classes in the afternoon.

This child is very cute, but too naughty.

This dish is very tasty, but a bit too salty.

wǒ men xué hàn yǔ bù néng guāng huì shuō hái yào huì xiě
我们学汉语不能 光 会说，还要会写。

wǒ men bù néng guāng chī cài hái yào chī diǎnr zhǔ shí
我们不能 光 吃菜，还要吃点(儿)主食。

wǒ men bù néng guāng shuō hái yào zuò
我们不能 光 说，还要做。

### 我喜欢游泳
wǒ xǐ huan yóu yǒng

wǒ xǐ huan dǎ qiú
我喜欢打球。

wǒ xǐ huan yuè dú
我喜欢阅读。

wǒ zuì ài hē kě lè
我最爱喝可乐。

wǒ zuì ài pá shān
我最爱爬山。

wǒ zuì ài kàn diàn shì
我最爱看 电视。

zuì chū wǒ duì zhè ge cí bú tài míng bai dàn jīng
最初我对这个词不太明 白，但经

guò zǐ xì zhuō mō cái néng lǐ jiě
过仔细捉摸，才能理解。

zuì chū wǒ zài zhè lǐ shēng huó bú tài xí guàn
最初我在这里生 活不太习惯，

dàn shí jiān cháng le cái néng màn màn shì yìng
但时间 长了，才能 慢 慢适应。

běi jīng míng shèng gǔ jì jiào duō bǐ rú shuō
北京名 胜古迹较多，比如说，

yí hé yuán gù gōng yuán míng yuán děng
颐和园、故宫、圆明 园等。

yùn dòng huì xiàng mù hěn duō bǐ rú shuō tiào gāo
运动 会项 目很多，比如说，跳高、

tiào yuǎn cháng pǎo děng
跳远、长 跑等。

We can't just learn to speak Chinese, but also learn to write.

We can't just eat main courses, but also some staple food.

We can't just talk, but also act.

I like swimming.

I like playing ballsports.

I like reading.

I love drinking cola best.

I love climbing mountains best.

I love watching television best.

At first I didn't really understand this word, but after careful thought, I could understand it.

At first I wasn't very used to living here, but as time went on, gradually I adapted.

Beijing has a number of famous attractions and ancient relics, for example, Summer Palace, Forbidden City, Old Summer Palace, etc.

The sports meeting has many events, for example, high jump, long jump, long-distance running, etc.

dì sān shí wǔ kè　　lǐ fà

# 第三十五课　理发

huì huà
## 会话

Please take a seat.

jiǎ　　nǐ hǎo
甲：你好！

liú míng　nǐ hǎo　wǒ xiǎng lǐ fà
刘明：你好！我想理发。

jiǎ　　qǐng nín zuò xia shāo děng piàn kè　qǐng wèn　　nín
甲：请您坐下稍等片刻。请问，您

yào lǐ shén me fà shì
要理什么发式？

liú míng　shāo wēi qù yì diǎnr　jiù kě yǐ le
刘明：稍微去一点(儿)就可以了。

## LESSON THIRTY FIVE
## Haircuts

Could you tell me what hairstyle you'd like?

**A**

**A** : Hello!

**Liu Ming:** Hello! I'd like to get a haircut.

**A** : Please take a seat and wait a moment. Could you tell me what hairstyle you'd like?

**Liu Ming:** Just take a little bit off is fine.

甲：好的，洗
jiǎ  hǎo de  xǐ

头吗？
tóu ma

刘明：不用洗了，
liú míng  bú yòng xǐ le

我上午刚
wǒ shàng wǔ gāng

刚洗过。
gāng xǐ guò

No, I've just washed it this morning.

另外，我想要右边分缝。
lìng wài  wǒ xiǎng yào yòu biān fēn fèng

甲：没问题。请问，剪完以后需要吹
jiǎ  méi wèn tí  qǐng wèn  jiǎn wán yǐ hòu xū yào chuī

一下吗？
yí xià ma

刘明：当然，我晚上有个宴会。
liú míng  dāng rán  wǒ wǎn shang yǒu ge yàn huì

甲：您看这样行吗？
jiǎ  nín kàn zhè yàng xíng ma

刘明：不错，谢谢。请问多少钱？
liú míng  bú cuò  xiè xie  qǐng wèn duō shǎo qián

甲：30 元。请那边付费。
jiǎ  sān shí yuán  qǐng nà biān fù fèi

刘明：谢谢。
liú míng  xiè xie

甲：不客气。
jiǎ  bú kè qi

**A :** Alright, does your hair need a wash?

**Liu Ming:** No, I've just washed it this morning. Also, I'd like the parting on the right.

**A :** No problem. Do you need a blowdry after the cut?

**Liu Ming:** Sure, I have a dinner party tonight.

**A :** Does this look alright?

**Liu Ming:** Pretty good, thanks. How much is it?

**A :** 30 Yuan. Please pay over there.

Does this look alright?

**Liu Ming:** Thanks.

**A :** You're welcome.

**B**

甲：早上好！
*jiǎ  zǎo shang hǎo*

小丁：你好！我想做头发。
*xiǎo dīng  nǐ hǎo  wǒ xiǎng zuò tóu fa*

甲：请问，您想做什么样式的发型？
*jiǎ  qǐng wèn  nín xiǎng zuò shén me yàng shì de fà xíng*

小丁：我想烫发，然后盘个头。我还要染头发，可以吗？
*xiǎo dīng  wǒ xiǎng tàng fà  rán hòu pán ge tóu  wǒ hái yào  rǎn tóu fa  kě yǐ ma*

甲：当然可以。今天好像对你非常重要。
*jiǎ  dāng rán kě yǐ  jīn tiān hǎo xiàng duì nǐ fēi cháng  zhòng yào*

小丁：你猜对了。今天我最好的朋友要结婚，我被邀请去当伴娘。
*xiǎo dīng  nǐ cāi duì le  jīn tiān wǒ zuì hǎo de péng you yào  jié hūn  wǒ  bèi yāo qǐng qù  dāng bàn niáng*

甲：那我可要把你打扮
*jiǎ  nà wǒ kě yào  bǎ nǐ dǎ ban*

Then I've got to make you look gorgeous.

**B**

A : Good morning!

Hello! I'd like

Xiao Ding: m y   h a i r
done.

A : Could you
tell me what
h a i r s t y l e
you'd like?

then for my hair to styled.

Xiao Ding: I'd like a perm, then for my hair
to styled. I also want to colour
my hair, is that alright?

A : Certainly.  Today seems to be
very important for you.

Xiao Ding: You guessed right. Today my
best friend is getting married,
I've been invited to be the
bridesmaid.

A : Then I've got to make you look

de piào piào liàng liàng de
得漂漂亮 亮的。

xiǎo dīng　　bié　　hūn lǐ shang zuì piào liang de yīng gāi shì xīn
小 丁: 别! 婚礼上 最漂 亮的应该是新

niáng　wǒ bié　tài chǒu jiù xíng le　　　xiào
娘。我别太丑就行了。(笑)

jiǎ　　qǐng xiān hē bēi shuǐ　　zhè shì tàng tóu fa de yán
甲: 请 先喝杯水。这是烫头发的颜

sè yàng bǎn　　qǐng nín xuǎn yì zhǒng yán sè
色样 板。请您选一种 颜色。

xiǎo dīng　nín kàn wǒ rǎn chéng shén me yán sè hé shì
小 丁: 您看我染 成 什么颜色合适?

jiǎ　　nín de pí fū bǐ jiào bái　　wǒ jiàn yì nín shì shi
甲: 您的皮肤比较白,我建议您试试

shēn zōng sè
深 棕色。

xiǎo dīng　hǎo ba　　jiù rǎn zhè ge yán sè
小 丁: 好吧! 就染这个颜色。

would suit my hair?

gorgeous.

**Xiao Ding:** Don't! The bride should be the most beautiful woman at the wedding. As long as I don't look too ugly. *(laughs)*

Thank you

**A :** Please have a glass of water first. This is the colour sample sheet. Please choose a colour.

**Xiao Ding:** What colour do you think would suit my hair?

**A:** Your skin is quite fair, I suggest you try dark brown.

**Xiao Ding:** All right. I'd choose dark brown.

## cháng yòng yǔ jù
## 常 用 语句

jīn tiān hǎo xiàng duì nín fēi cháng zhòng yào
今天好像 对您非 常 重 要。

zuì hǎo de
最好的……

jīn tiān wǒ zuì hǎo de péng you jié hūn
今天我最好的朋 友结婚。

shāo wēi
稍微……

shāo wēi qù yì diǎnr jiù kě yǐ le
稍 微去一点(儿)就可以了。

## shēng cí
## 生词

| | | |
|---|---|---|
| qù<br>去 | tàng fà<br>烫 发 | cāi<br>猜 |
| lǐ fà<br>理发 | pán tóu<br>盘 头 | jié hūn<br>结婚 |
| piàn kè<br>片 刻 | rǎn fà<br>染 发 | dāng<br>当 |
| tóu fa<br>头 发 | hǎo xiàng<br>好 像 | bàn niáng<br>伴 娘 |
| yàng shì<br>样 式 | fēi cháng<br>非 常 | dǎ ban<br>打 扮 |
| fà xíng<br>发型 | zhòng yào<br>重 要 | xīn niáng<br>新 娘 |

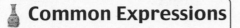

## Common Expressions

Today seems to be very important to you.

...seems...

...best...

Today my best friend is getting married.

A little...

Just take a little bit off is fine.

## Vocabulary

| | | |
|---|---|---|
| take off | hair perm | guess |
| haircut | styled (formal hairdo) | gett married |
| moment | dye hair | be |
| hair | seem to be | bridesmaid |
| types | very | make (someone) look |
| hairstyle | important | bride |

chǒu
丑

yàng bǎn
样 板

hé shì
合适

pí fū
皮肤

bǐ jiào
比较

shēn zōng sè
深 棕色

shāo wēi
稍 微

xǐ tóu
洗头

fēn fèng
分缝

chuī fēng
吹 风

### wén huà bèi jǐng zhī shi
## 文化背景知识

## 在中国理发

在中国，您可以不用费什么周折就可以轻而易举地找到理发店。理发前您不必事先和理发师预约，随时去随时理发。当然，如果您想请指定的理发师给您理发的话，打个电话就行了。假如您到中国旅行并住在宾馆，宾馆内就设有美容美发店。如果时间充足的话，建议您可以不在宾馆理发，各城市的街头

| | | |
|---|---|---|
| ugly | quite | part(hair) |
| sample sheet | dark brown | blowdry |
| suit | a little bit | |
| skin | hair wash | |

## Cultural Background

### Chinese Hairdressing Salons

It is an easy task to find a hairdressing salon in China. No bookings are necessary unless you want to be served by a preferred hairdresser. Tourists staying in hotels can either use the hairdressing salons in the hotel or find any salon that takes their fancy in the street. Most hairdressing salons are well-equipped to handle any hair needs,

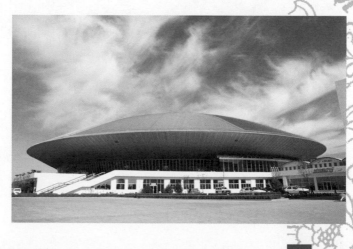

巷尾都有理发店，理发店的设施齐全，店内宽敞明亮，服务员谦虚礼貌，服务态度好，而且价格又很便宜。在理发店里，除洗发理发外，还可以做头部按摩、烫发、染发、美容等项目。

在中国理发还有一些特殊的风俗习惯，如：农历正月，一些人不理发。二月初二，中国农历称为"龙抬头"，这一天人们争先恐后理发，为的是以良好的精神状态迎接春天。当然，这些都是中国传统的习俗，当代年轻人不太注重这些习俗，一旦头发长了或想换个发型就去理发店理发。

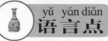
### yǔ yán diǎn
## 语言点

① **"稍微"**——副词，表示数量不多或程度不深。

② **"去"**——动词。理发师常用"去"表示"理"

including shampoo and
cuts, scalp massage,
perms, streaks and
highlights, as well as
beauty services.

Special customs pertain
to haircuts in China, for
example: on the first
month of the year in the
Lunar calendar, people
usually don't have
haircuts. While the sec-
ond day of the second
month, which is referred
to as "the dragon lifts its head" in folklore, is almost haircut
day because it means one is well-groomed to greet the new
year. These old customs, however, are not observed by the
young Chinese of today, who have haircuts as soon as hair
becomes long or they want a change in hairstyle.

## Language Points

**1** "稍微" —— Adverb, means not a lot or not to a
large extent.

**2** "去" —— Verb. Hairdressers often use "去" to

"剪""剃"等意思。

3 "**好像**"—— 副词。在对话中意思是"看上去"或"似乎"。

4 "**最好的**" ——"最"表示最高程度。

5 "**比较白**"—— 指相对比较而言，表示"白"的程度。

6 *片刻*—— 副词，作时间状语。意思是一会儿，很短的时间。

zhù shì
注释

1 做头发——意思是按顾客的意愿修剪头发。

2 盘个头——"盘"：围绕。意思是把女士的长头发围绕头部修整出漂亮的发型。

3 伴娘——新娘结婚仪式上陪伴在新娘左右的未婚女子。

mean "理" "cut" "shave" etc.

3 "好像" —— Adverb. In the dialogue it means "looks like" or "seems".

4 "最好的" —— "最" indicates the maximum extent.

5 "比较白" —— Means relatively speaking, refers to the extent of the fairness.

6 片刻—— Adverb. It is used as an adverbial adjunct for time. It means a little while, very brief time span.

## Explanatory Notes

1 "做头发" —— Means to cut or arrange the hairstyle according to the customer's wishes.

2 "盘个头" —— "盘" means to wrap around. The phrase means to shape a woman's long hair around the head into a stylish hairdo.

3 "伴娘" —— An unmarried woman who accompanies and helps the bride at the wedding ceremony.

tì huàn liàn xí
## 替换练习

bǐ jiào hóng
## 比较红

jīn tiān hǎo xiàng yào xià yǔ
**今天好像要下雨。**

bǐ jiào zhòng
比较重

fáng jiān li hǎo xiàng méi rén
房间里好像没人。

bǐ jiào tàng
比较烫

míng tiān hǎo xiàng yào qíng tiān
明天好像要晴天。

bǐ jiào gāo
比较高

zhè wū hǎo xiàng xiǎo diǎnr
这屋好像小点(儿)。

zhè běn shū hǎo xiàng zài nǎr jiàn guo
这本书好像在哪(儿)见过。

wǒ zuì hǎo de péng you kǎo shàng dà xué le
**我最好的朋友考上大学了。**

tā zuì hǎo de tóng xué chū guó le
她最好的同学出国了。

tā shì xué xiào zuì hǎo de lǎo shī
她是学校最好的老师。

xiǎo jiāng shì bān shang zuì hǎo de xué sheng
小江是班上最好的学生。

tā de hàn yǔ jiǎng de fēi cháng hǎo
**她的汉语讲得非常好。**

zhè jiān jiào shì fēi cháng liàng
这间教室非常亮。

quán jù dé de kǎo yā fēi cháng hǎo chī
全聚德的烤鸭非常好吃。

zhè jiàn yī fu fēi cháng piào liang
这件衣服非常漂亮。

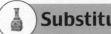 **Substitutional Drills**

### Today it looks like it will rain.

There seems to be no one in the room.

Tomorrow looks like it will turn sunny.

This room seems a little small.

I seem to have seen this book somewhere before.

### Quite red

Quite heavy

Quite hot

Quite tall

### My best friend got into university.

Her best classmate went overseas.

She is the best teacher in the school.

Xiao Jiang is the best student in class.

### She speaks very good Chinese.

This classroom is very bright.

Quanjude's roast duck is very tasty.

This garment is very beautiful.

# 第三十六课　砍价
dì sān shí liù kè　kǎn jià

huì huà
会话

You've been in Beijing for over a year now.

**A**

zài xiào yuán li
（在校园里。）

xiǎo jiāng　　lǐ lǎo shi　　wǒ hái méi qù guo xiù shuǐ jiē ne
小江：李老师，我还没去过秀水街呢！

lǐ hóng　　bú huì ba　　nǐ dōu lái běi jīng yì nián duō le
李红：不会吧？你都来北京一年多了。

xiǎo jiāng　　wǒ zhī dao xiù shuǐ jiē hěn yǒu míngr　　zài nàr
小江：我知道秀水街很有名(儿)，在那(儿)

mǎi dōng xi hái néng kǎn jià　　kě shì　　wǒ měi tiān
买东西还能砍价。可是，我每天

yào shàng kè　　zài shuō　　xué xiào lí xiù shuǐ jiē yòu
要上课，再说，学校离秀水街又

## LESSON THIRTY SIX
## Price Haggling

 **Dialogue**

the school is too far from Xiushui street.

**A**

*(In the School Grounds.)*

**Xiao Jiang:** Teacher Li, I still haven't been to Xiushui street!

**Li  Hong:** That's not possible? You've been in Beijing for over a year now.

**Xiao Jiang:** I know Xiushui street has quite a name, and you can haggle the prices when you shop there.

tài yuǎn le
太远了。

李红: lǐ hóng　　āi xiǎo jiāng míng
哎，小江，明

tiān xīng qī liù　wǒ
天星期六，我

yě xiǎng qù xiù shuǐ
也想去秀水

jiē zhuàn zhuan
街转转。

小江: xiǎo jiāng　　tài hǎo le　　wǒ men
太好了！我们

yì qǐ qù ba
一起去吧！

李红: lǐ hóng　hǎo de　　wǒ bāng nǐ kǎn jià
好的，我帮你砍价。

**B**

zài xiù shuǐ jiē
（在秀水街。）

小江: xiǎo jiāng　shī fu　nín zhè jiàn shuì yī duō shǎo qián
师傅，您这件睡衣多少钱？

甲: jiǎ　__èr bǎi bā shí yuán__
__280__ 元。

小江: xiǎo jiāng　tài guì le　néng bù néng pián yi diǎnr
太贵了。能不能便宜点(儿)？

甲: jiǎ　nín zǐ xì kàn kan　zhè kě shì __bǎi fēn zhī bǎi__ de
您仔细看看，这可是 __100%__ 的

But, I have classes everyday, besides, the school is too far from Xiushui street.

**Li Hong:** Hey, Xiao Jiang, tomorrow is Saturday, I also want to go to Xiushui street and have a look around.

**Xiao Jiang:** That's great! Let's go together!

**Li Hong:** OK, I'll help you haggle.

*(At Xiushui Street. )*

**Xiao Jiang:** Master, how much are the pyjamas?

Master, how much are the pyjamas?

**A:** 280 Yuan.

**Xiao Jiang:** Too expensive. Can you make it a bit cheaper?

**A:** Have a close look, this is 100%

sī chóu
丝绸。

小江: xiǎo jiāng
wǒ zhī dao shì zhēn sī de 　 èr bǎi èr shí yuán xíng bù xíng
我知道是真丝的。 220 元 行不行?

甲: jiǎ
nín zài duō gěi diǎnr 　èr bǎi liù shí yuán zěn me yàng
您再多给点(儿)。 260 元 怎么样?

小江: xiǎo jiāng
lǐ lǎo shī 　èr bǎi liù shí yuán zhí ma
李老师, 260 元值吗?

李红: lǐ hóng
zài kǎn kan jiàr 　méi zhǔnr 　hái néng zài pián
再砍砍价(儿),没准(儿)还能再便
yi diǎnr
宜点(儿)。

小江: xiǎo jiāng
èr bǎi liù shí yuán hái shì guì le diǎnr 　nǐ zài
260 元还是贵了点(儿),你再
pián yi èr shí yuán wǒ jiù mǎi
便宜20 元我就买。

甲: jiǎ
hǎo 　jīn tiān wǒ bú zhuàn qián le 　nǐ zài jiā
好,今天我不赚钱了。你再加

shí kuài 　èr bǎi wǔ shí yuán
10 块, 250 元
nín ná zǒu
您拿走。

小江和李红: xiǎo jiāng hé lǐ hóng
á 　èr bǎi wǔ
啊? 二百五?

Teacher Li, is it worth 260 Yuan?

silk.

**Xiao Jiang:** I know it's pure silk. How about 220 Yuan?

**A:** Pay a bit more. How's 260 Yuan?

**Xiao Jiang:** Teacher Li, is it worth 260 Yuan?

**Li Hong:** Haggle the price a bit more, maybe you can get it a bit cheaper.

**Xiao Jiang:** 260 Yuan is still a bit expensive, I'll buy it if you take off 20 Yuan.

**A:** OK, today I won't make any money. You add another 10 Yuan, make it 250 Yuan and take it.

**Xiao Jiang and Li Hong:** Huh? 250?

## 常用语句
cháng yòng yǔ jù

wǒ hái méi
我还没……

wǒ hái méi qù guo xiù shuǐ jiē
我还没去过秀水街。

nǐ dōu
你都……

nǐ dōu lái běi jīng yì nián duō le
你都来北京一年多了。

kě shì          zài shuō
可是……再说……

lí             tài
离……太……

kě shì wǒ měi tiān dōu yào shàng kè          zài shuō
可是我每天都要上课，再说，

xué xiào lí xiù shuǐ jiē tài yuǎn le
学校离秀水街太远了。

duō shǎo qián
……多少钱？

zhè jiàn shuì yī duō shǎo qián
这件睡衣多少钱？

zài duō
再多……

zài duō gěi diǎnr
再多给点(儿)。

## 🏺 Common Expressions

I still haven't...

I still haven't been to Xiushui Street .

You've already...

You've already been in Beijing for more than a year.

But...besides...

too...from...

But I have to attend class everyday, besides, the

School is too far away.

from Xiushui Street.

How much is...?

How much are these pyjamas?

More...

Give a bit more.

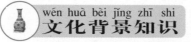

### 生词 shēng cí

| | | |
|---|---|---|
| xiù shuǐ jiē<br>秀水街 | shuì yī<br>睡衣 | zhēn sī<br>真丝 |
| yǒu míng<br>有名 | guì<br>贵 | méi zhǔnr<br>没 准(儿) |
| kǎn jià<br>砍价 | pián yi<br>便宜 | zhuàn qián<br>赚 钱 |
| zhuàn zhuan<br>转 转 | zǐ xì<br>仔细 | |

### 文化背景知识 wén huà bèi jǐng zhī shi

## 北京秀水街

在中国北京长安街建国门外北侧向东不远

处，有一条著名的露天商业街——秀水街。在这条街上，有上百家个体户经营着服装、鞋帽以及一些小商品。它之所以著名，是因为在那里的个体户集中经营着出口转内销

# Vocabulary

| | | |
|---|---|---|
| Xiushui Street | pyjamas | pure silk |
| well-known | expensive | maybe |
| price haggling | cheap | make money |
| look around | close | |

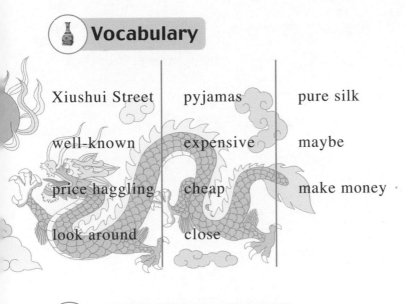

# Cultural Background

## Beijing Xiushui Street

Not far from the north side of Jianguomenwai on Chang'an Avenue in Beijing, China, is a famous outdoor shopping street–Xiushui Street. On this street, hundreds of private vendors do a roaring trade in clothing, shoes and hats, as well as accessories. Its fame stems from the numerous stalls there selling export quality clothes and other goods for domestic sale, the items are great value for money and shoppers can haggle the price

的服装和商品，这些商品物美价廉，有意购买者还可以与业主砍价。有时在那里购买的商品比国营商店所卖的同类商品还便宜，尺寸也很合适。此外，秀水街离外国驻中国使馆区很近，许多外国人身材高大，一些特体服装很难买到。而秀水街的服装各种版式较为齐全。外国人经常到那里买合适的衣服，既经济又很实惠。久而久之，秀水街因此而得名。

## 🏺 语言点 yǔ yán diǎn

**1** "我还没去过秀水街呢"？——"还没"（动词）表示早就知道，也想做，但是最终还没有做的事情。

例如：我还没有吃过涮羊肉呢！

我还没有去过美国呢！

**2** "都" —— 表示已经。

例如：你都做了些什么？

你都到过哪里？

**3** "一年多" ——超过一年的时间。

例如：两个多月，三个多星期，四天多。

with vendors. Sometimes the goods bought there are even cheaper than similar goods sold in state-run stores, with better sizes. Moreover, Xiushui Street's proximity to the embassies district attracts many foreigners who are larger in build than Chinese people and find it difficult shopping for clothes in China. The garments sold at Xiushui Street come in comprehensive size ranges to foreigners. They often go there to buy suitable clothing, not only saving money, but finding exactly what they want. After a while, Xiushui Street gained a reputation.

## Language Points

1. I still haven't been to Xiushui Street? —— " still haven't" (verbs )to talk about something that has been known for a while, and wanted to do, but still haven't done.

   *For example:* I still haven't eaten lamb hotpot!

   I still haven't been to America!

2. "都" —— Means already.

   *For example:* What have you done?

   Where have you been?

3. "一年多" —— More than a year.

   *For example:* two months and more.

   more than three weeks.

   more than four days.

④ "学校离秀水街太远了。"——"离"表示距离。
例如：我家离学校很远。
　　　刘明的公司离长安街很近。

⑤ "去秀水街转转。"——"转转"动词的重叠。

表示动作的动词可以重叠，同时还表示动作的时间很短或者表示动作很轻松，很随意，有时也表示一种

尝试。单音节动词重叠的形式是："AA"，如："看看"（去书店看看）、"坐坐"（来我家坐坐）、"试试"（穿上试试）等；双音节动词重叠形式是："ABAB"，如："表示表示"（我去表示表示）、"介绍介绍"（让我来介绍介绍）；还有一类双音节动词的重叠形式是："AAB"，如："走走看"（让我走走看）、"洗洗手"（我想洗洗手）。重叠的动词一般不能作定语或状语。

④ "The school is too far from Xiushui Street." —— "离" denotes distance.

***For example:***

My home is very far from school.

Liu Ming's company is very close to Chang'an Avenue.

⑤ "Have a browse at Xiushui Street." —— "转转" is an example of verbs repeated. Active verbs can be used in repetition, it also means the activity is not for a long time or that it is a casual, natural act, sometimes it also denotes it's a trial or experiment. For mono-syllable verbs the format is: "AA", For example: "看看"(Have a browse in the bookstore.), "坐坐"(Drop around at my place.), "试试"(Try it on.); multi-syllable verbs are repeated in this fashion:"ABAB", for example: "表示表示"(I'll go and give a hand.), "介绍介绍"(Let me introduce.); another format for using these multi-syllable verbs in repetition is:"AAB", for example: "走走看"(Let me give the walk a try.), "洗洗手"(I want to wash my hands.). Repeated verbs usually can't be used as attributive sentence or adverbial adjunct.

⑥ **"我帮你砍价。"**（动词＋宾语＋动词）

如：我帮他干活。

他帮老师修自行车。

⑦ **"这件睡衣多少钱？"** ——买东西问价钱的用语。

如：这本书多少钱？

这副眼镜多少钱？

这双鞋卖多少钱？

⑧ **"再多给点儿。"** ——意思是：再多给点儿（钱）。

如：多吃点儿（饭）。

多喝点儿（水）。

⑨ **"再"** 和动词一起用，表示一个动作或状态将要重复或继续。

如：再坐一会儿吧！

再呆一会儿吧！

⑩ **"砍砍价"** ——动词重叠形式（AAB）。

如：聊聊天，逛逛公园，谈谈心。

⑥ "我帮你砍价。" I'll help you haggle.(verbs +object+verbs )

*For example:* I help him work. He helps the teacher fix the bicycle.

⑦ "这件睡衣多少钱?" How much is this pyjamas? —— The question used to enquire after prices of things.

*For example:*

How much is this book?

How much are these glasses?

How much are these shoes?

⑧ "再多给点儿。" "Pay a bit more." —— Means to pay some more(money).

*For example:*

Have some more(food).

Drink some more(water).

⑨ "再" and verb used together means an action or situation will be repeated or continued.

*For example:*

Sit a while longer!

Stay a while longer!

⑩ "砍砍价" Haggle the price.—— Verbs repeated(AAB).

*For example:* Have a chat.

Walk around the park.

Talk about things.

**11** "再便宜 20 元我就买。" —— "再" 继续的意思。表示更进一步或重复的意思。

如：你再多给点儿钱。

你再去一次。

再读一遍。

zhù shì
**注释**

**1** "二百五" —— 小江与李老师为什么听到"二百五"就表现出惊讶的表情呢？这是因为：在中国，"二百五"除了表示数字以外，还有其他含义。一般来说，形容某人很糊涂或对某件事一知半解，不懂装懂，人们称这样的人为"二百五"。也就是说傻的意思。

**2** "260 元值吗？" —— "值"意思是物有所值。表示所买的东西或物件与所付的价格相符。

如：这台电视机值 3000 元吗？

⑪ "再便宜 20 元我就买". "I'll buy it if you take off 20 Yuan" —— "再" indicates continuation, to further or repeat an act.

*For example:* You pay some more.

You go once again.

Read it another time.

## Explanatory Notes

❶ "二百五" —— or "two hundred and fifty", why do Xiao Jiang and Teacher Li show surprised expressions when they hear "二百五"? This is because: in China, "二百五" means something other than the number itself. It's usually used to describe someone who is silly or pretends to know something they don't.

❷ "260 元值吗?" —— "值" means value for money. Indicates that the value of the item purchased corresponds with the price paid.

*For example:* Is this television worth 3,000 Yuan?

tì huàn liàn xí
**替换练习**

kě shì wǒ hái méi xiǎng hǎo ne
**可是我还没 想 好呢！**

zài shuō nǐ yě méi gào su guo wǒ
**再说你也没告诉过我。**

kě shì wǒ mā ma hái méi dào ne
可是我妈妈还没到呢！

zài shuō shí jiān hái lái de jí
再说 时间 还 来得及。

kě shì wǒ bú huì zuò　　zài shuō yě méi rén jiāo wǒ
可是我不会做，再说也没人教我。

wǒ hái méi chī fàn ne
**我还没吃饭呢！**

wǒ hái méi qǐ chuáng ne
我还没起 床 呢！

wǒ hái méi zhù cè ne
我还没注册呢！

wǒ hái méi chī yào ne
我还没吃药呢！

wǒ hái méi gào su tā ne
我还没告诉他呢！

wǒ men jiā lí xué xiào tài yuǎn
**我们家离学校太 远。**

wǒ men xué xiào lí diàn shì tái tài yuǎn le
我们学 校离 电视台太远了。

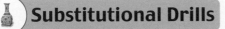

## Substitutional Drills

**But I still haven't decided!**
**Besides, you didn't tell me.**

But my mom still hasn't arrived!

Besides, there is still time.

But I don't know how to do it, Besides,

there's no one to teach me.

**I still haven't eaten!**

I still haven't got out of bed!

I still haven't registered!

I still haven't taken my medicine!

I still haven't told him!

**Our home is too far away from school.**

Our school is too far from the television station.

nǐ dōu qù guo nǎr
**你都去过哪(儿)?**

nǐ dōu gàn shén me le
你都干什么了?

tā dōu kàn dào shén me le
他都看到什么了?

nǐ dōu zhǔn bèi dào nǎr
你都准备到哪(儿)?

zhè jiàn yī fu duō shǎo qián
**这件衣服多少钱?**

zhè shuāng xié duō shǎo qián
这双鞋多少钱?

zhè běn shū duō shǎo qián
这本书多少钱?

zhè liàng zì xíng chē duō shǎo qián
这辆自行车多少钱?

zài duō gěi diǎnr zhǐ
**再多给点(儿)纸。**

zài duō gěi diǎnr tāng
再多给点(儿)汤。

zài duō fàng diǎnr yán
再多放点(儿)盐。

zài duō zǒu jǐ bù lù
再多走几步路。

## Where have you been exactly?

What have you done exactly?

What exactly has he seen?

Where exactly do you plan to go?

## How much is this top?

How much are these shoes?

How much is this book?

How much is this bike?

## Please give some more paper.

Please give some more soup.

Please add some more salt.

Take a few more steps.

# 第三十七课　量体裁衣
dì sān shí qī kè　liáng tǐ cái yī

## huì huà
## 会话

**A**

miàn duì jìng tóu
（面 对 镜头。）

dà shān　jīn tiān wǒ yào qù zuò yí jiàn zhōng shì fú zhuāng
大山：今天我要去做一件 中 式服 装，

wǒ xǐ huan zhōng guó de
我喜欢 中 国的

táng zhuāng
唐 装。

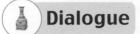

## LESSON THIRTY–SEVEN
## Tailor–Made Clothing

**Dialogue**

**A**

*(Towards the Camera.)*

**Dashan:** Today I'm here to have a Chinese style garment made. I love Chinese-style clothes. Today I'm going to make my wish come true.

**B**

běi jīng ruì fú xiáng lǎo zì hào mén qián
（北京瑞福祥 老字号 门前。）

dà shān    zhè jiā diàn kě shì běi jīng de lǎo zì hào
大山：这家店可是北京的老字号。

jiǎ    nín hǎo    nín lái mǎi sī chóu
甲：您好！您来买丝绸？

dà shān    nín hǎo    shī fu    wǒ xiǎng zuò jiàn táng zhuāng
大山：您好，师傅。我想做件唐装。

jiǎ    méi wèn tí    zhè me zhe    nín xiān tiāo miàn liào
甲：没问题！这么着，您先挑面料，

wǒ qù qǐng wèi shī fu lái    ràng tā lái liáng chǐ cùn
我去请位师傅来，让他来量尺寸，

dāng cān mou    nín kàn zěn me yàng
当 参谋，您看怎么样？

dà shān    nà tài xiè xie nín le    yí huìr    jiàn
大山：那太谢谢您了！一会(儿)见。

Have you chosen the material?

**C**

diàn nèi
（店内。）

jiǎ    miàn liào xuǎn hǎo le ma
甲：面料选好了吗？

dà shān shī fu    nín kàn
大山：师傅，您看

# B

*(In the prestigious Beijing Ruifuxiang Shop.)*

**Dashan:** This is truly a time-honoured brand shop of Beijing.

**A :** Hello! Are you here to buy silk?

**Dashan:** Hello, Master. I'd like to get a Chinese style garment made.

**A :** No problems! How's this, you pick a material first, I'll go to get a master to take the measurements, what do you think?

**Dashan:** Thank you very much! See you later.

# C

*(Inside the Store.)*

**A :** Have you chosen the material?

**Dashan:** Master, what do you think of this

Sure, I'll take your advice!

zhè kuài liào zi zuò
这块料子做

táng zhuāng zěn me
唐 装 怎么

yàng
样?

jiǎ　zhè miàn liào tài báo
甲：这面料太薄，

shì hé zuò xià tiān de
适合做夏天的

chèn yī huò sī jīn
衬衣或丝巾。

nín bù rú xuǎn zhè kuài liào zi 　 yán sè chà bù duō
您不如选这块料子，颜色差不多，

zhì dì kě hǎo duō le
质地可好多了。

dà shān　 xíng 　 tīng nín de
大山：行，听您的！

jiǎ　 lái 　 wǒ lái gěi nín liáng
甲：来，我来给您量

liang chǐ cùn 　 liáng
量尺寸。（量

jiān 　 xiù kǒu 　 shēn
肩、袖口、身

cháng 　 xiōng wéi
长、 胸 围）

material for making a Chinese-style
jacket?

**A :** This material is too thin, more suit-
able for making a summer shirt or
silk scarf. You're better off choos-
ing this material, the colour is simi-
lar but the texture is much better.

**Dashan:** Sure, I'll take your advice!

**A :** Come here, I'll take your
measurements. (Measures
shoulders, sleeves, torso, bust)

shoulder width is 1.5 chi.

# D

甲：好了，这是取衣服的单据。一个星期以后来取衣服。

大山：谢谢您。

李红：（走进。）哎，这不是大山吗？这么巧！

大山：噢，李老师，您好！李老师，您也来做衣服？

李红：是啊，我想做一件旗袍，下周我要去参加一个朋友的婚礼。

大山：李老师，我得先走了，再见！

李红：那好，再见！——再见！

What a coincidence!

A : OK, this is the receipt for picking up your garment. Please collect it in a week's time.

Dashan: Thank you.

Li Hong: (Enters in to the store.) Hey, if it isn't Dashan! What a coincidence!

Dashan: Oh, Teacher Li, hello!

Have you come to get a garment made as well, Teacher Li?

Li Hong: Yes, I'd like a Qipao made, next week I will attend a friend's wedding.

Dashan: Teacher Li, I have to go, goodbye!

Li Hong: Alright then, good-bye!

## 常用语句
cháng yòng yǔ jù

kě shì
可是……

zhè jiā diàn kě shì běi jīng de lǎo zì hào
这家店可是北京的老字号。

nǐ bù rú
你不如……

nǐ bù rú xuǎn zhè kuài liào zi
你不如选这块料子。

hǎo le ma
……好了吗?

miàn liào xuǎn hǎo le ma
面料选好了吗?

## 生词
shēng cí

| | | |
|---|---|---|
| péi<br>陪 | rú yuàn yǐ cháng<br>如愿以偿 | miàn liào<br>面料 |
| zhōng shì<br>中式 | yǒu míng de<br>有名的 | liáng<br>量 |
| fú zhuāng<br>服装 | lǎo zì hào<br>老字号 | chǐ cùn<br>尺寸 |
| táng zhuāng<br>唐装 | tiāo xuǎn<br>挑(选) | méi wèn tí<br>没问题 |

## 📿 Common Expressions

is really...

This store is really a time-honoured brand of Beijing.

You're better off...

You're better off choosing this material.

finished...?

Have you finished choosing the material?

## 📿 Vocabulary

| | | material |
|---|---|---|
| accompany | wish comes true | measure |
| Chinese style | renowned | size |
| Garment, clothing | time-honoured brand | no problem |
| Chinese style jacket | pick(choose) | |

| xuǎn | zhì dì | qiǎo hé |
|------|--------|---------|
| 选 | 质地 | 巧（合） |
| báo | jiān | qí páo |
| 薄 | 肩 | 旗袍 |
| shì hé | xiù kǒu | hūn lǐ |
| 适合 | 袖口 | 婚礼 |
| sī jīn | shēn cháng | guàng guang |
| 丝巾 | 身长 | 逛逛 |
| bù rú | dān jù | |
| 不如 | 单据 | |

### wén huà bèi jǐng zhī shi
## 文化背景知识

## 中华老字号——北京瑞福祥绸布店

北京瑞福祥绸布店是有着近百年历史的老字号，该店位于北京前门，约1000平方米的店堂一直保留着老字号建筑的原貌。中华人民共和国成立时在天安门广场升起的第一面五星红旗就是用"瑞福祥"提供的红绸子制成的。目前，该店已被北京市列为市级文物保护单位。

中国丝绸文化渊远流长，

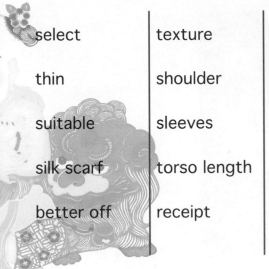

| | | |
|---|---|---|
| select | texture | coincidence |
| thin | shoulder | Qipao-Mandarin-collar dress with side splits |
| suitable | sleeves | wedding |
| silk scarf | torso length | look around |
| better off | receipt | |

## 🍶 Cultural Background

### China's Time-Honored Brand— Beijing Ruifuxiang Silk Shop

Ruifuxiang Silk Shop in Beijing enjoys the kind of prestige that only comes from being a brand of quality for almost a century. Situated in Qianmen of Beijing, the 1000-square meter shop has retained the old style and look of the original store. The first red flag ever to be raised at Tian'anmen Square when the People's Republic of China was founded was made from red silk supplied by Ruifuxiang . It's no wonder the store has

"瑞福祥"绸布店集全国各地丝绸精品和各民族呢绒俏货于北京，该店布匹货真价实，缩水率小，下水不褪色，品种繁多，达500多种，且服务态度非常好，信誉高，深受顾客的信赖。

"瑞福祥"绸布店除出售布料外，还量体裁衣，加工服装。在加工展示东方女性和中国丝绸特有风韵美的旗袍上有其独特的工艺，深受海内外女士的青睐和喜爱。文中主人公大山（Mark Rowswell）所穿的服装就是由该店量体裁衣加工制成的。多品种的民族传统服装也

可在该店成批生产，可谓"名店、名货、名牌、名服"。

already been listed by the Beijing government as a heritage store.

For centuries China has been synonymous with silk, Ruifuxiang show-cases China's textiles mas-tery with an extensive col-lection of fine silks and wools from throughout the country. By ensuring top-notch quality and a product line that covers over 500 fabrics, Ruifuxiang wins customer loyalty with service of the highest order and commitment to its reputation of quality.

Aside from selling fabrics, Ruifuxiang silk shop also offers tailor-made clothing. Its "qipaos" (Chinese-style Mandarin collar dresses) are well-known among women around the world for their impec-cable workmanship and the superb qual-ity of silks. In fact, our main character in the book, Dashan's(Mark Rowswell) Chinese-style clothing were tailor-made at this century-old store. Other tradi-tional ethnic costumes can also be or-dered here. It is no exaggeration to say "famous shop, famous merchandise, famous brand and famous clothing."

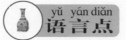

## yǔ yán diǎn
## 语言点

❶ "这不是……？" ——反问句。表示肯定的意思。

❷ "一定要……" ——能愿动词。

❸ "你不如……" —— 提供参考意见供其选择。

❹ "或" —— 选择词。或这样，或那样，两者均可以。

## zhù shì
## 注释

❶ "如愿以偿" —— 意思是做了自己很久已来一直想要做的事或实现愿望。

❷ "……好了吗？" ——表示询问是否已经做完了。

## Language Points

1. "这不是……?" —— "Isn't that...?", rhetorical question to affirm something.

2. "一定要……" —— "must have", denotes will.

3. "你不如" —— "You're better off", provides advice or sets out alternatives.

4. "或" —— selection word. "Or this, or that", both are viable alternatives.

## Explanatory Notes

1. "如愿以偿" —— Means that a longed for wish has been realized.

2. "……好了吗?" —— Enquires whether something is finished or ready.

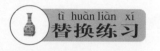

### tì huàn liàn xí
## 替换练习

### wǒ yí dìng yào mǎi běn yīng yǔ cí diǎn
## 我一定要买本英语辞典。

tā yí dìng yào zuò jiàn qí páo
她一定要做件旗袍。

xiǎo jiāng yí dìng yào cān jiā yùn dòng huì
小江一定要参加运动会。

nǐ yí dìng yào shí xiàn zì jǐ de lǐ xiǎng
你一定要实现自己的理想。

### nǐ bù rú zì jǐ qù
## 你不如自己去!

nǐ bù rú xiě piān lùn wén
你不如写篇论文。

nǐ bù rú míng tiān zài qù
你不如明天再去。

### kě shì wǒ méi dài shū
## 可是我没带书。

kě shì tā méi lái
可是他没来。

kě shì zuó tiān xià yǔ le
可是昨天下雨了。

kě shì jiàn dà hǎo shì
可是件大好事。

### zhè bú shì xiǎo jiāng ma
## 这不是小江吗?

zhè bú shì shāng chǎng ma
这不是商场吗?

zhè bú shì nǐ de mào zi ma
这不是你的帽子吗?

zhè bú shì lǐ lǎo shī de zì xíng chē ma
这不是李老师的自行车吗?

## Substitutional Drills

### I must buy an English thesaurus.

She must get a Mandarin-collar dress made.

Xiao Jiang must attend the sports meeting.

You must realize your aspirations.

### You may as well go yourself!

You may as well write a thesis.

You may as well go again tomorrow.

### But I didn't bring the book.

But he didn't come.

But it rained yesterday.

It's really a good thing.

### Isn't this Xiao Jiang?

Isn't this the store?

Isn't this your hat?

Isn't this Teacher Li's bicycle?

dì sān shí bā kè　　　tǐ yù yùn dòng

# 第三十八课　体育运动

a sports meeting,

**A**

yùn dòng huì
（运动会。）

jiǎ　　xiǎo jiāng　　jīn tiān xué xiào kāi yùn dòng huì　　nǐ
甲：小江，今天学校开运动会，你
bào de shén me xiàng mù
　　报的什么项目？

xiǎo jiāng　　wǒ bào de yì bǎi mǐ　　　nǐ bào de shén me
小江：我报的 <u>100</u> 米，你报的什么
xiàng mù
　　项目？

## LESSON THIRTY EIGHT
### Sports

 **Dialogue**

what events did you enter?

**A**

*(Sports Meeting.)*

**A:** Xiao Jiang, today the school is holding a sports meeting, what events did you enter?

**Xiao Jiang:** I entered the 100-metre sprint, what events did you enter?

甲： wǒ shén me xiàng mù yě méi bào wǒ shì jīn tiān
我什么项目也没报。我是今天

de lā lā duì duì zhǎng xiǎo jiāng zhù nǐ
的"拉拉队"队长。小江，祝你

pǎo dì yī míng
跑第一名。

xiǎo jiāng xiè xie
小江：谢谢。

**B**

yùn dòng chǎng shang bǐ sài
（运动场上比赛。）

tóng xué hǎn jiā yóur jiā yóur
同学：（喊）加油(儿)！加油(儿)！

xiǎo jiāng pǎo guò lai
小江：（跑过来。）

jiǎ xiǎo jiāng hē
甲：小江，喝

diǎnr shuǐ
点(儿)水，

nǐ jīn tiān pǎo de
你今天跑得

zhēn kuài kě yǐ
真快，可以

shuō shì chāo
说是"超

shuǐ píng fā huī
水平"发挥！

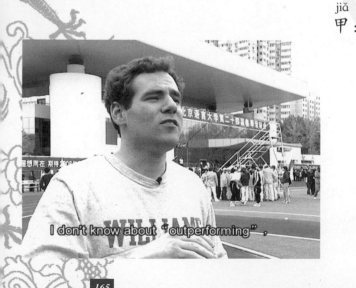

I don't know about "outperforming",

**A:** I didn't enter any events. I'm the leader of today's "cheerleading squad". Xiao Jiang, I hope you win first place.

**Xiao Jiang:** Thanks.

**B**

*(Competing on the sports oval.)*

**Classmate:** (shouting) Come on! Come on!

**Xiao Jiang:** (comes running.)

**A:** Xiao Jiang, drink some water, you ran really fast today,

outperformed yourself today!

it can be said you really outperformed yourself today!

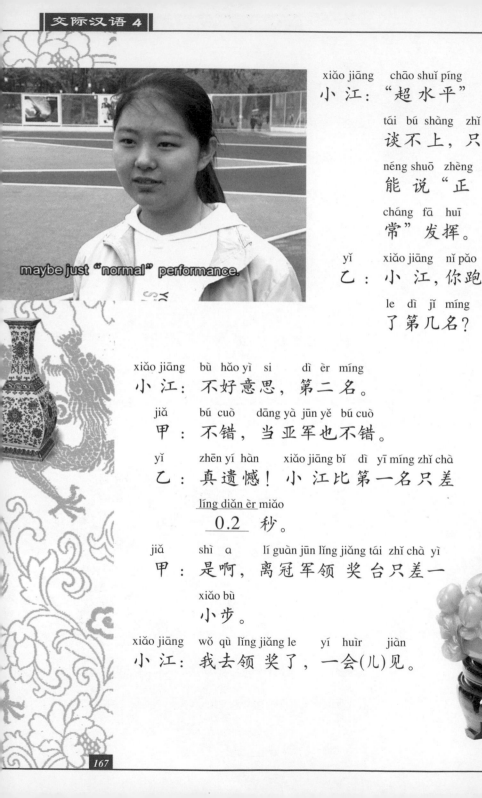

小江："超水平"谈不上，只能说"正常"发挥。

乙：小江，你跑了第几名？

小江：不好意思，第二名。

甲：不错，当亚军也不错。

乙：真遗憾！小江比第一名只差 0.2 秒。

甲：是啊，离冠军领奖台只差一小步。

小江：我去领奖了，一会(儿)见。

maybe just "normal" performance.

**Xiao Jiang:** I don't know about " outper-
forming" , maybe just " normal"
performance.

**B:** Xiao Jiang, which place did you
get?

**Xiao Jiang:** I'm embarrassed to say, second
place.

**A:** That's pretty good, number two
is pretty good.

**B:** What a pity! Xiao Jiang was only
0.2 seconds off number one.

**A:** Yes, only a tiny step away from
the champion's podium.

**Xiao Jiang:** I'm going to
collect my
prize, see you
in a while.

Yes, only a tiny step away

**C**

zài huí sù shè de lù shang
（在回宿舍的路上。）

jiǎ　　xiǎo jiāng　　nǐ　dé le shén me jiǎng pǐn
甲：小江，你得了什么奖品？

xiǎo jiāng　yí　fù yǔ máo qiú pāi
小江：一副羽毛球拍。

jiǎ　　tài hǎo le　　yǐ hòu xià kè wǒ men kě yǐ dǎ yǔ
甲：太好了！以后下课我们可以打羽

máo qiú le
毛球了。

yǐ　　kàn nǐ měi de　　rén jiā xiǎo jiāng pǎo de mǎn tóu
乙：看你美的，人家小江跑得满头

dà hàn　　nǐ dào hǎo　　jiù zhī dào　　xià shān
大汗，你倒好，就知道"下山

zhāi táo zi
摘桃子！"

jiǎ　　huà bù néng zhè me shuō　　xiǎo jiāng dé yà jūn　　hái
甲：话不能这么说，小江得亚军，还

yǒu wǒ zhè　lā　lā duì zhǎng de gōng láo ne　　tīng
有我这拉拉队长的功劳呢！听，

all you know is taking the credit!

## C

*(On the way to the dormitory.)*

**A:** Xiao Jiang, what prize did you get?

**Xiao Jiang:** A set of badminton racquets.

**A:** That's great! From

A set of badminton racquets.

now on we can play badminton after classes.

**B:** Look at you so happy with yourself, Xiao Jiang ran till he was all sweaty, all you know is taking the credit!

**A:** You can't say that, Xiao Jiang getting second place should give thanks to me, the leader of the cheer squad! Listen, my

wǒ sǎng zi dōu
我嗓子都

hǎn yǎ le
喊哑了。

xiǎo jiāng　nǐ men bié kāi
小江：你们别开

wán xiào le
玩笑了！

bú guò　　jīn
不过，今

tiān lā lā duì
天拉拉队

zhǎng de biǎo xiàn dí què bú cuò
长的表现的确不错，

hěn xīn kǔ　　hǎn le yì tiān　　wǒ zhè fù
很辛苦，喊了一天。我这付

yǔ máo qiú pāi jiù sòng gěi nǐ　le
羽毛球拍就送给你了。

jiǎ　tài xiè xie nǐ le　　míng nián
甲：太谢谢你了。明年

yùn dòng huì wǒ hái dāng lā lā
运动会我还当拉拉

duì zhǎng
队长！

yǐ　kàn tā měi de
乙：看他美的！

xiǎo jiāng　wǒ men zǒu ba
小江：我们走吧！

voice is all hoarse from the shouting.

**Xiao Jiang:** Stop joking around, you guys! But, today's cheerleading team leader really did a great job, it was hard work, shouting for a whole day.  I'm giving these badminton racquets to you.

**A:** Thank you so much. Next year's sports meeting I'll still be the cheerleading team leader!

**B:** Look how overjoyed he is!

**Xiao Jiang:** Let's go!

I'll still be the cheerleading team leader!

### <ruby>常<rt>cháng</rt></ruby> <ruby>用<rt>yòng</rt></ruby> <ruby>语<rt>yǔ</rt></ruby> <ruby>句<rt>jù</rt></ruby>

<ruby>你<rt>nǐ</rt></ruby> <ruby>报<rt>bào</rt></ruby> <ruby>的<rt>de</rt></ruby>
你报的……

<ruby>你<rt>nǐ</rt></ruby> <ruby>报<rt>bào</rt></ruby> <ruby>的<rt>de</rt></ruby> <ruby>什<rt>shén</rt></ruby> <ruby>么<rt>me</rt></ruby> <ruby>项<rt>xiàng</rt></ruby> <ruby>目<rt>mù</rt></ruby>
你报的什么 项目？

<ruby>可<rt>kě</rt></ruby> <ruby>以<rt>yǐ</rt></ruby> <ruby>说<rt>shuō</rt></ruby>
可以说……

<ruby>可<rt>kě</rt></ruby> <ruby>以<rt>yǐ</rt></ruby> <ruby>说<rt>shuō</rt></ruby> <ruby>是<rt>shì</rt></ruby> <ruby>超<rt>chāo</rt></ruby> <ruby>水<rt>shuǐ</rt></ruby> <ruby>平<rt>píng</rt></ruby> <ruby>发<rt>fā</rt></ruby> <ruby>挥<rt>huī</rt></ruby>
可以说是"超 水平"发挥！

<ruby>只<rt>zhǐ</rt></ruby> <ruby>能<rt>néng</rt></ruby>
只能……

<ruby>只<rt>zhǐ</rt></ruby> <ruby>能<rt>néng</rt></ruby> <ruby>说<rt>shuō</rt></ruby> <ruby>正<rt>zhèng</rt></ruby> <ruby>常<rt>cháng</rt></ruby> <ruby>发<rt>fā</rt></ruby> <ruby>挥<rt>huī</rt></ruby>
只 能 说"正 常"发挥。

<ruby>比<rt>bǐ</rt></ruby> <ruby>只<rt>zhǐ</rt></ruby> <ruby>差<rt>chà</rt></ruby>
比……只差……

<ruby>比<rt>bǐ</rt></ruby> <ruby>第<rt>dì</rt></ruby> <ruby>一<rt>yī</rt></ruby> <ruby>名<rt>míng</rt></ruby> <ruby>只<rt>zhǐ</rt></ruby> <ruby>差<rt>chà</rt></ruby> <ruby>零<rt>líng</rt></ruby> <ruby>点<rt>diǎn</rt></ruby> <ruby>二<rt>èr</rt></ruby> <ruby>秒<rt>miǎo</rt></ruby>
比第一名 只差 0.2 秒。

### <ruby>生<rt>shēng</rt></ruby> <ruby>词<rt>cí</rt></ruby>

| <ruby>开<rt>kāi</rt></ruby> | <ruby>报（名）<rt>bào míng</rt></ruby> | <ruby>米<rt>mǐ</rt></ruby> |
|---|---|---|
| <ruby>运 动 会<rt>yùn dòng huì</rt></ruby> | <ruby>项 目<rt>xiàng mù</rt></ruby> | <ruby>队 长<rt>duì zhǎng</rt></ruby> |

### 🏺 Common Expressions

You entered...

What events did you enter your name for?

It can be said...

It can be said you really outperformed yourself!

only...

You can only say it was a "normal" performance.

Only...off the...

Only 0.2 seconds off the winner.

### 🏺 Vocabulary

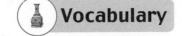

| | | |
|---|---|---|
| hold | enter one's name for | metre |
| sports meeting | event | leader |

lā lā duì
拉拉队

dì yī míng
第一名

jiā yóur
加油(儿)

pǎo
跑

zhēn kuài
真快

chāo
超

shuǐ pīng
水平

fā huī
发挥

tán bú shàng
谈不上

zhǐ néng
只能

zhèng cháng
正常

dì èr míng
第二名

dì jǐ míng
第几名

bù hǎo yì si
不好意思

yà jūn
亚军

guàn jūn
冠军

zhēn yí hàn
真遗憾

lǐng jiǎng tái
领奖台

zhǐ chà
只差

lǐng jiǎng
领奖

jiǎng pǐn
奖品

yí fù
一副

yǔ máo qiú
羽毛球

qiú pāi
球拍

mǎn tóu dà hàn
满头大汗

xià shān
下山

zhāi
摘

táo zi
桃子

gōng láo
功劳

yǎ
哑

hǎn
喊

kāi wán xiào
开玩笑

xīn kǔ
辛苦

yì zhěng tiān
一整天

míng nián
明年

cheerleading squad | which place | all sweaty

first place | I'm embarrassed to say | go down the mountain

Come on | second place, runner-up | pick

run | First place, champion | peach

really fast | What a pity! | credit

out, super | award podium | hoarse

level | only... away from | shouting

perform | claim prize | joking

I don't know about | prize | hard work

just | a set, a pair | a whole day

normal | badminton | next year

second place | racquet

## 中国人与健身运动

　　中国人历来都重视体育运动，特别是改革开放以来，随着经济的发展，人民物质生活水平的提高，越来越多的中国人把体育健身活动看作是日常生活中的一部分。中国政府还推出了旨在全面提高国民体质和健康水平的"全民健身计划"，即"121 工程"。各大、中、小学每年召开一到两次运动会，以促进体育锻炼和健身。近年来，一些体育项目，如：蹦极、保龄球、滑板、跆拳道、高尔夫球、攀岩等也相继被中国人接受，一些体育场馆呈现出繁忙的景象，健身房日益增多。在体育锻炼健身的同时，人们没有忘记民族体育运动。

　　中华民族的传统体育是中国体育事业的重要组成部分和宝贵遗产。许多传统体育项目不仅有很强的健身价值，而且还有艺术和娱乐的内涵。许多到过中国的外国人对中国的民族体

## Cultural Background

### Chinese and Sports

Sporting activities have always played a key role in Chinese people's lives. Especially as the standard of living improved, fitness and physical well-being became a priority in Chinese people's day to day activities. The Chinese government has initiated a "Project 121" which is intended to improve the fitness level and health of the entire population. Primary schools, high schools and universities hold one or two sports meetings every year, in order to promote interest in sports and fitness. In recent years, sports as extreme as bungee-jumping, rock-climbing have gained popularity as well as other popular sports, including bowling, skateboarding, Taekwondo, golf. Sports stadiums are almost always filled with enthusiastic sports fans and gyms are sprouting up in every suburb. At the same time, people have not forgotten about the traditional Chinese sports.

These sports are quintessentially Chinese and form an invaluable part of Chinese heritage. The traditional sports are not only ideal for getting fit, but possess artistic and entertainment value also. Many international

育运动也很青睐，如：武术、太极拳、跳秧歌舞、放风筝、赛马、龙舟赛、拔河、围棋、踢毽等等，数不胜数。以下几种较为典型：

1. 武术以拳术、武打器械、拳术套路和实战形式为主，即能自卫，又能健身和养生保健。目前，这种运动形式还参加了竞技比赛。武术也具有表演的功能并被搬上银幕，供人们欣赏。

2. 龙舟赛具有浓厚的娱乐性和激烈的竞争性，它是一种团体比赛项目，要求全队人员通力合作方能完成，在南方的水乡具有广泛的群众基础。

3. 秧歌是在节奏鲜明的音乐伴奏下的一种民间舞蹈，主要流行于中国北方地区。秧歌因其舞蹈规模大，参与的人多以及影响较大，故由艺术表演逐步变为健身运动，尤其受到中老年妇女的喜爱。

4. 太极拳是中国武术众多拳种之一，已有

visitors fall in love with Chinese traditional sports such as Kung Fu, Tai-chi, folk dancing, kite-flying, dragon-boat racing, Chinese go-chess, etc. But the most popular sports are:

1. Chinese Wushu, is called Kung Fu or Chinese martial arts in the west. Literally, wu means military while shu means art, thus Wushu is the art of fighting, which can be practiced barehanded or armed, it is a form of self-defence as well as a great sport. Martial arts is now in the competitve sports arena. Kung-fu is also highly watchable and has even spurred a whole genre in modern films.

2. Dragon-boat racing is a heavily competitive and thrilling sport, being a team sport, it requires everyone's input and the team's cohesive co-operation. Most popular in the water towns of the south.

3. Yang'ge is a folk dance performed to distinctly rhythmic music and enjoys immense popularity in the northern areas of China. Being a group dance that involves young and old, the performing art has evolved into a fitness sport, especially well-loved by middle and senior aged women. The sight of China's older women dancing the Yang'ge on the streets has caught foreigners' attention.

4. Tai-chi or shadow boxing is one of the many styles of boxing in Chinese martial arts that enjoys centuries of history. Its roots can be found in Chenjia Gou of Wen County in central China's Henan province, there are a

几百年的历史。太极拳源于河南温县陈家沟,有陈式、杨式、武式、孙式、吴式等派别,动作舒缓连贯,要求以意导体,意、气、体三者协调配合,以静制动,以柔克刚。

活跃的体育健身运动丰富了中国人的业余生活,增强了人民的体质,提高了人民身体健康的水平,保证了社会经济的建设和发展。

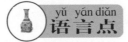

yǔ yán diǎn
## 语言点

❶ "可以说" ——总结性词语。

❷ "以后" ——表示时间的副词。表示从现在起往后的时间。

❸ "比……只差" ——"比" 与前一个相比较而言。"只差" 中的"差" 副词,意思是"只相距一点点"。表示某种事情几乎实现而没有实现。

number of styles including the Chen style, Yang style, Wu style, etc. Movements in Tai-chi are smooth and harmonious, using the will to lead the body, — the will, the qi (or internal energy) and the body should integrate and move as one, the idea being to overcome movement with stillness, to conquer strength with flexibility.

A fit population is also a healthy and happy one. With such a vibrant sports scene, Chinese people are enjoying active lifestyles and gaining in physical health.

##  Language Points

*1* "It can be said" —— A summary phrase.

*2* "以后" —— Adverb for time. Indicates from now onwards.

*3* "比……只差" —— "比" is in relation to the former. The adverb "差" in "只差", means "the gap is tiny". it means something was almost realized but not realized.

④ "加油儿！" ——比喻进一步努力，加劲儿。在各种比赛过程中，常作为一句口号为参赛者鼓劲儿。

注释

① "我得的是" ——句中的"得"是"获得"的意思。

② "超水平"——超越平时训练的水平，比平时的成绩好。

③ "话不能这么说" ——用于表示不同意见的话。说这句话，既表明了反对的态度，语气上又比较缓和，也不会引起对方的不高兴。

④ "不好意思"——有点儿害羞的意思。有时也表示礼貌。

⑤ "下山摘桃子"——意思是你做的好事却被别人拿走了或获得了。

⑥ "拉拉队"——体育运动比赛时，在旁边给运动员呐喊助威的一组人。

④ "加油儿!" Come on! —— Means make more effort, work harder. Said to encourage participants at all types of competitions as a slogan.

## Explanatory Notes

① "我得的是" —— The "得" in the sentence means "获得" or to "achieve".

② "超水平" Outperformed. —— Exceeds normal training levels, betters normal performance.

③ "话不能这么说" You can't say that! —— Used to show different opinion. A phrase like this expresses opposition gently and doesn't offend the other party.

④ "不好意思" I'm embarrassed to say. —— Literally means a little bit shy or embarrassed. Sometimes also said to mean politeness.

⑤ "下山摘桃子" To take the credit without doing anything . —— Means your credit is taken or gained by others.

⑥ "拉拉队" —— A group of people who cheer on and support the competitors at sports meetings.

tì huàn liàn xí
**替换练习**

nǐ bào de shì nǎ ge xué xiào
**你报的是哪个学校？**

tā bào de shì shén me xiàng mù
她报的是什么 项目？

wǒ bào de shì cháng pǎo
我报的是长 跑。

xiǎo jiāng bào de shì duǎn pǎo
小 江报的是短跑。

bǐ dì yī míng zhǐ chà yì fēn
**比第一名 只差一分。**

bǐ tā zhǐ chà liǎng fēn zhōng
比她只差 两分钟。

bǐ yuán lái zhǐ chà yì diǎnr
比原来只差一点(儿)。

zhǐ néng tā qù le
**只能她去了。**

zhǐ néng zhè yàng le
只能 这样了。

zhǐ néng huà dào zhèr le
只能 画到这(儿)了。

kě yǐ shuō xiǎo jiāng pǎo de bú cuò
**可以说，小 江 跑得不错。**

kě yǐ shuō zhèr de cài hěn pián yi
可以说，这(儿)的菜很便宜。

kě yǐ shuō huáng yán sè gèng hǎo kàn yì xiē
可以说，黄 颜色更好看一些。

kě yǐ shuō tā de wén zhāng xiě de gèng dòng rén
可以说，她的文章写得更 动 人。

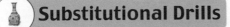 **Substitutional Drills**

**Which school did you apply for?**

What event did she enter?

I entered in the long-distance running.

Xiao Jiang entered in the sprint event.

**She's the only one who can go.**

That's the way it's got to be.

This is as far as the painting can go.

**Just one point off number one.**

Just two minutes less than her.

Just a little bit less than before.

**It can be said, Xiao Jiang's run was not bad.**

It can be said, the dishes here are very cheap.

It can be said, the colour yellow looks better.

It can be said, her essay is more lively.

# 第三十九课 告别
dì sān shí jiǔ kè　gào bié

## huì huà
## 会话

Hello! Manager Liu.

**A**

liú míng zài jiā dú bào zhǐ
（刘明在家读报纸。）

lǐ hóng hé xiǎo jiāng jìn mén
（李红和小江进门。）

lǐ hóng　　liú míng　xiǎo jiāng lái xiàng nǐ gào bié lái le
李红：刘明，小江来向你告别来了。

liú míng　yo　xiǎo jiāng　kuài qǐng jìn
刘明：哟，小江，快请进。

xiǎo jiāng　　xiè xie liú jīng lǐ
小江：谢谢刘经理。

## LESSON THIRTY NINE
### Goodbye

A

*(Liu Ming at home reading newspaper.)*

*(Li Hong and Xiao Jiang walk in the door.)*

**Li Hong:** Liu Ming, Xiao Jiang has come to say goodbye to you.

**Liu Ming:** Oh, Xiao Jiang, come in, please.

**Xiao Jiang:** Thank you, Manager Liu.

李红： 小江，你们闲聊，我沏茶去。
你们要喝花茶还是龙井？

小江： 还是花茶吧！

刘明： 小江，你在北京过
得还愉快吧？

小江： 在这里我
过得非
常愉快。

刘明： 你的中文进步很快。

has your stay in Beijing been pleasant?

小江： 谢谢。我
还学到了
许多新名
词，比如：
"老外"。

**Li Hong:** Xiao Jiang, you have a chat, I'll make some tea. Would you like jasmine tea or dragon well tea?

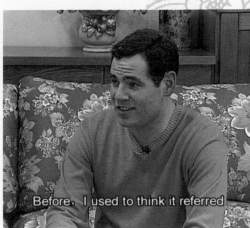

Before, I used to think it referred

**Xiao Jiang:** Jasmine tea is fine!

**Liu Ming:** Xiao Jiang, has your stay in Beijing been pleasant?

**Xiao Jiang:** I've had a very pleasant stay here.

**Liu Ming:** Your Chinese has progressed very quickly.

**Xiao Jiang:** Thanks. I've also learnt many new words, for example: "Laowai". Before, I used to think it referred only to foreigners. It

Come, Xiao Jiang, have some tea.

以前，我还以为是只指外国人，到中国才知道"老外"还有外行的意思。

刘明：是啊，好多新名词连我这土生土长的北京人都不懂。

李红：来，小江，喝茶。小江，行李都收拾好了吗？

小江：都收拾好了。

刘明：小江，希望你能再来中国。

小江：我肯定会的，也希望你们全家到英国来，我请你们喝英国红茶。

wasn't until I got to China that I found out "Laowai" also means amateurs.

**Liu Ming:** Yes, there are many new words that even I, a locally born and bred Beijinger don't understand.

**Li Hong:** Come, Xiao Jiang, have some tea. Have you packed up all of your luggage?

**Xiao Jiang:** Everything's all packed up.

**Liu Ming:** Xiao Jiang, we hope you can come to China again.

**Xiao Jiang:** I definitely will, and I hope your whole family can come to England, I'll treat you to English black tea.

we hope you can come to China again.

lǐ hóng hé liú míng　　wǒ men kěn dìng huì qù　de
李红和刘明：我们肯定会去的！

xiǎo jiāng　　wǒ děi zǒu le　　xiè xie nǐ men qǐng wǒ
小　江：我得走了。谢谢你们请我

hē chá
喝茶。

liú míng　　xiǎo jiāng　zhù nǐ yí lù píng ān
刘　明：小　江，祝你一路平安！

xiǎo jiāng　　hòu huì yǒu qī
小　江：后会有期。

**B**

zài xiào yuán li
（在校园里。）

xiǎo jiāng yǔ tóng xué　　　xiǎo jiāng ná xíng li
（小　江与同学。）（小　江拿行李。）

we can't bear to let you go.

**Li Hong and Liu Ming:** We'll definitely go!

**Xiao Jiang:** I have to go. Thanks for the tea.

**Liu Ming:** Xiao Jiang, have a safe journey!

**Xiao Jiang:** We'll meet again.

**B**

*(In the school grounds.)*

*(Xiao Jiang and classmates.)*

*(Xiao Jiang holding luggage.)*

Liz：我们 真舍不得你走。
（wǒ men zhēn shě bu de nǐ zǒu）

小江：是啊，我也舍不得离开你们。
（xiǎo jiāng　shì a　wǒ yě shě bu de lí kāi nǐ men）

甲：小江，回英国后保持联系。
（jiǎ　xiǎo jiāng　huí yīng guó hòu bǎo chí lián xi）

小江：没问题！每天给你发电子邮件。
（xiǎo jiāng　méi wèi tí　měi tiān gěi nǐ fā diàn zǐ yóu jiàn）

乙：小江，祝你一路顺风！
（yǐ　xiǎo jiāng　zhù nǐ yí lù shùn fēng）

小江：谢谢你，别送了。"送君千里，终
有一别。"我们肯定还会再见面
的。再见！
（xiǎo jiāng　xiè xie nǐ　bié sòng le　sòng jūn qiān lǐ zhōng　yǒu yì bié　wǒ men kěn dìng hái huì zài jiàn miàn　de　zài jiàn）

大家：小江，再见！
（dà jiā　xiǎo jiāng　zài jiàn）

Thank you, don't see me off.

**Liz** : Xiao Jiang, we can't bear to let you go.

**Xiao Jiang:** Yes, I can't bear to leave you all either.

**A** : Xiao Jiang, keep in touch when you get back to England.

**Xiao Jiang:** No problem! I'll send e-mail to you everyday.

**B** : Xiao Jiang, have a safe journey!

Goodbye, Xiao Jiang!

**Xiao Jiang:** Thank you, don't see me off. "Even if you see a friend off for a thousand miles, eventually you have to part. "We'll definitely meet again. Goodbye!

**Everyone:** Goodbye, Xiao Jiang!

## 常用语句
cháng yòng yǔ jù

xiàng ...... lái le
向……来了

xiǎo jiāng lái xiàng nǐ gào bié lái le
小江来向你告别来了。

nǐ yào ...... hái shì ......
你要……还是……

nǐ yào hē huā chá hái shì lóng jǐng
你要喝花茶还是龙井？

bǐ rú ......
比如……

bǐ rú lǎo wài
比如："老外"。

yǐ qián ...... hái yǐ wéi ......
以前……还以为……

yǐ qián wǒ hái yǐ wéi shì zhǐ wài guó rén
以前，我还以为是指外国人。

wǒ děi ......
我得……

wǒ děi zǒu le
我得走了。

cái zhī dào ......
才知道……

dào le zhōng guó cái zhī dào lǎo wài hái yǒu
到了中国才知道"老外"还有

bié de yì si
别的意思。

## 🏺 Common Expressions

here...to

Xiao Jiang's here to say goodbye to you.

Would you like the...or the...

Would you like to drink jasmine tea or dragon well tea?

For example...

For example:"Laowai".

Before...I used to think

Before, I used to think it referred to foreigners.

I have to...

I have to go.

That I found out...

It wasn't until I got to China that I found out "Laowai"

also has other meanings.

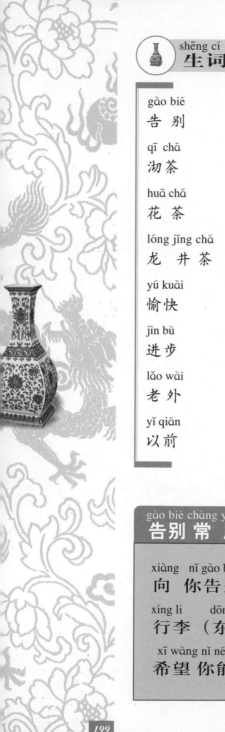

### shēng cí
## 生词

| | | |
|---|---|---|
| gào bié<br>告别 | zhǐ<br>指 | shùn fēng<br>顺风 |
| qī chá<br>沏茶 | cái<br>才 | sòng jūn qiān lǐ<br>送君千里 |
| huā chá<br>花茶 | wài háng<br>外行 | zhōng yǒu yì bié<br>终有一别 |
| lóng jǐng chá<br>龙井茶 | tǔ shēng tǔ zhǎng<br>土生土长 | hóng chá<br>红茶 |
| yú kuài<br>愉快 | shōu shi<br>收拾 | yí lù píng ān<br>一路平安 |
| jìn bù<br>进步 | shě bu de<br>舍不得 | hòu huì yǒu qī<br>后会有期 |
| lǎo wài<br>老外 | lí kāi<br>离开 | |
| yǐ qián<br>以前 | méi wèn tí<br>没问题 | |

### gào bié cháng yòng jù
## 告别常用句

xiàng nǐ gào bié lái le
向你告别来了。

xíng li    dōng xi    dōu shōu shi hǎo le ma
行李（东西）都收拾好了吗？

xī wàng nǐ néng zài lái zhōng guó
希望你能再来中国。

## Vocabulary

| | | |
|---|---|---|
| farewell | refer to | a safe journey |
| make tea | only then | you see a friend off for a thousand miles |
| jasmine tea | amateur | eventually you have to part |
| dragon well tea | locally born and bred | black tea |
| pleasant | pack up | have a safe journey |
| progress | can't bear | We'll meet again |
| Laowai, foreigner, amateur | leave | |
| before | no problem | |

## Farewell Expressions

(pronoun) has come to say goodbye to you.

Are your luggage(things)all packed?

Hope you can come to China again.

wǒ děi zǒu le
我得走了。

zhù nǐ yí lù píng ān
祝你一路平安。

zhù nǐ yí lù shùn fēng
祝你一路顺风。

cháng lái diàn huà
常 来电话。

cháng xiě xìn lái
常 写信来。

hòn huì yǒu qī
后会有期。

wǒ men zhēn shě bu de nǐ zǒu
我们真舍不得你走。

cháng bǎo chí lián xì
常 保持联系。

sòng jūn qiān lǐ    zhōng yǒu yì bié
送 君千里， 终 有一别。

wǒ men hái huì zài jiàn miàn de
我们还会在见 面的。

## 文化背景知识

### 告别的礼仪

在中国，告别的礼仪其实很简单。假如您的亲人离家去异地工作，可以全家人吃顿团圆饭送行。在饭桌上，大家分别说些送别的话，如："祝你一路平安"、"祝你工作顺利！""多联系，常

I have to go.

Have a safe journey.

Have a pleasant journey.

Call often.

Write often.

We'll meet again.

We really can't bear to let you go.

Keep in close contact.

Even if you see a friend off for a thousand miles,

eventually you have to part.

We'll definitely meet again.

## 🍶 Cultural Background

### The Etiquette of Farewells in China

Saying goodbye can be quite simple in China. If family members leave home to work in another city, the family gets together for a farewell dinner. At the table, everyone will say things like "Have a pleasant journey" "Hope all goes well with your work!" "Keep in touch, come back when-

回家看看"等。假如你的同事、同学或朋友远行，大家可能吃顿送行饭，或在一起聊聊，说一些祝福和相互勉励的话。有时候某个人要离开某地（学校、单位、居住过的地方），会主动到好友的住所或同事的办公室去道别，感谢大家曾经给过自己的帮助，或请要好的朋友吃饭以表示感激之情，相互留名片和通讯地址以备今后常联系。被请去吃饭的人也会带上礼物送给要走的人留作纪念，并在饭后依依不舍握手告别。

如果你的朋友到你家做客，离开时你可以送至家门口，也可以送至汽车站或火车站，视情况而定。如果时间充足或朋友请求，你也可以送至机场（根据个人的能力和条件）。在送别的路上，送别的人会说："再见了，一路平安。""多加小心，注意身体，有空儿来玩儿。"来客会说："别送了，请留步。"或"别客气，后会有期。"

ever you can". Send-offs for colleagues, fellow students or friends may involve a meal together or a chat to say some words of encouragement or well wishes, sometimes when a person is about to

leave a place (at school, in workplace or block of apartments), they will go to friends' homes or colleagues' offices to say goodbye and to thank everybody for the help offered. It is also nice to invite good friends for a meal in gratitude, as well as to exchange business cards and contact details. Sometimes gifts are exchanged.

If friends have come to your home for a visit, it is good form to walk them to the entrance, or to the bus station or train station, depending on the circumstances. If time permits or requested by your friends, you can see them off at the airport. On the way, it is customary for the host to say "Have a safe and pleasant journey" "Take care and come visit again.", while the guest would say "Please don't go all the way sending us off." or "Thank you for your hospitality, we'll meet again."

**语言点** yǔ yán diǎn

① "要……还是……？" ——选择问句。两者选其一。

② 向……告别（道谢、辞行、道歉）——"向"是介词，引出动作的方向和对象。
如：向同事告别。向朋友辞行。

③ 我得走了。——"得"在这里是"该"的意思，表示时间到了。快到点儿了。

④ "才知道" ——"才"表示时间，在此以前不知道，"才"意思是"刚刚"。

⑤ "比如" —— 举例或打比方。

⑥ "以前……还以为……"
——表示在此时间以前一直认为。

⑦ "才知道" —— "才"意思是"刚刚"知道。

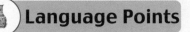 **Language Points**

*1* "要……还是……?" —— Question of selection, choose one from two alternatives.

*2* "向……告别(道谢、 辞行、 道歉)" —— "say goodbye to....(say thanks, bid farewell, apologize)", "向" is a preposition used to lead the subject.

***For example:***

Say goodbye to colleagues.

Say goodbye to friends.

*3* "我得走了." —— "得" here means "该", that time is up.

*4* "才知道" —— "才" indicates timing, something was not known before this, "才" means "just".

*5* "比如" —— "For example" to give an example or an analogy.

*6* "以前……还以为……" —— "I used to ... believe that..." indicates the belief was held all this time until now.

*7* "才知道" —— "Only just found out", "才" means "just" found out.

### zhù shì
### 注释

1 "送君千里，终有一别。"——意思是送朋友送的再远还是要分离的。

2 "舍不得"——意思是不肯放弃或不愿丢掉。

3 "保持联系"——不中断相互间的联络。

### tì huàn liàn xí
### 替换练习

xiàng nǐ gào bié lái le
**向 你告别来了。**

xiàng nǐ cí xíng lái le
向 你辞行来了。

xiàng nǐ shuō zài jiàn lái le
向 你说再见来了。

xiàng nǐ lái dào qiàn
向 你来道歉。

xiàng nǐ wèn hòu
向 你问候。

## Explanatory Notes

*1* "送君千里，终有一别。" —— means no matter how far you see off a friend, you still have to part at some stage.

*2* "舍不得" —— means you can't bear to give up or throw away.

*3* "保持联系" —— means to keep in contact.

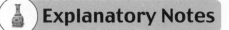

## Substitutional Drills

**(pronoun) has come to say goodbye to you.**

(pronoun) has come to bid farewell to you.

(pronoun) has come to say goodbye to you.

(pronoun) has come to apologize to you.

(pronoun) has come to say hello to you.

nǐ yào píng guǒ hái shì xiāng jiāo
**你要苹果还是香蕉?**

wǒ cái zhī dào
**我才知道。**

tā cái qù
他才去。

tā men cái zǒu
她们才走。

xiǎo jiāng cái qǐ chuáng
小江才起床。

lán lan cái huí jiā
兰兰才回家。

nǐ hē shuǐ hái shì hē chá
你喝水还是喝茶?

nín mǎi jī piào hái shì huǒ chē piào
您买机票还是火车票?

nín zuò qián pái hái shì hòu pái
您坐前排还是后排?

nín yào hóng de hái shì lán de
您要红的还是蓝的?

wǒ děi zǒu le
**我得走了。**

wǒ děi kāi huì le
我得开会了。

wǒ děi huí jiā le
我得回家了。

wǒ děi qù shàng kè le
你得去上课了。

wǒ děi qù xué xiào le
她得去学校了。

yǐ qián wǒ hái yǐ wéi tā shì lǎo shī ne
**以前我还以为她是老师呢!**

yǐ qián wǒ hái yǐ wéi zhè ge cí zhè yàng dú ne
以前我还以为这个词这样读呢!

yǐ qián wǒ hái yǐ wéi tā zhù zhèr ne
以前我还以为他住这(儿)呢!

### I have to go.

I have to attend a meeting.

I have to go home.

You have to go to class.

She has to go to school.

### I just found out.

He just went.

They just went.

Xiao Jiang just got up.

Lan Lan just got home.

### Do you want an apple or a banana?

Would you like to drink water or tea?

Would you like to buy plane tickets or train tickets?

Would you like to sit in the front row or back row?

Would you like red or blue?

### Before I used to think she was a teacher!

Before I used to think the word was pronounced

this way!

Before I used to think he lived here!

# 第四十课　复习
dì sì shí kè　fù xí

## LESSON FOURTY　Revision

（以下是根据第三十一课
至第三十九课内容所设置
的会话。）

### 第三十一课
dì sān shí yī kè

yì jiā rén lǚ xíng huí lai
（一家人旅行回来。）

dà shān　nǐ men yì jiā qù nǎr　le
大山：你们一家去哪(儿)了？

liú míng　wǒ men yì jiā gāng lǚ xíng huí lai
刘明：我们一家刚旅行回来。

dà shān　dào shén me dì fang qù le
大山：到什么地方去了？

lǐ hóng　wǒ men qù guì lín le
李红：我们去桂林了。

lán lan　　zhè shì wǒ men jì huà hěn jǔ　cái jué dìng de
兰兰：这是我们计划很久才决定的。

Ok, let's go back then and review the dialogues now, and see how Liu Ming and his family made their travel plans.

dì sān shí èr　kè
第三十二课

liú míng　　dà shān　　lán lan
（刘明、大山、兰兰）

lán lan　　bà ba　　zán men bié liáo le　　gāi chí dào le
兰兰：爸爸，咱们别聊了，该迟到了。

liú míng　　duì le　　wǒ men gāi zǒu le
刘明：对了，我们该走了。

dà shān　　nǐ men yào qù nǎr　　　a
大山：你们要去哪(儿)啊？

liú míng　　wǒ hé lán lan yào qù　yuē huì
刘明：我和兰兰要去约会。

dà shān　　gēn shuí yuē huì
大山：跟谁约会？

lán lan　　mì mi
兰兰：秘密。

lán lan hé liú míng　　zài jiàn
兰兰和刘明：再见！

dà shān　　qí shí tā men bú gào su wǒ　　wǒ yě
大山：其实他们不告诉我，我也

　　　　zhī dao
　　　　知道。

Ok, let's go back then and review the dialogues now, when we are talking about meetings .

dì sān shí sān kè
第三十三课

dà shān zài xīn shǎng gǔ dǒng
（大山在欣赏古董。）

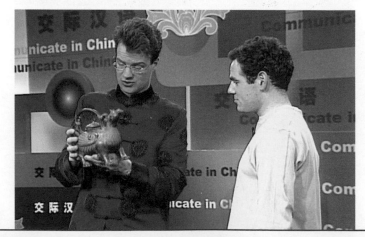

xiǎo jiāng　dà shān　　nǐ zài gàn shén me ne
小 江： 大山，你在干什么呢？

dà　shān　　wǒ zài xīn shǎng péng you sòng gěi　wǒ de gǔ dǒng
大 山： 我在欣赏 朋友送 给我的古董。

xiǎo jiāng　gǔ dǒng a　　liú jīng lǐ zuó tiān gāng dài wǒ qù
小 江： 古董啊？ 刘经理昨天 刚带我去

　　　　　guò gǔ wán chéng
　　　　　过古玩 城。

dà　shān　　shì ma　　mǎi shén me dōng xi le
大 山： 是吗？ 买什么东西了？

xiǎo jiāng　cāi cai kàn
小 江： 猜猜看？

dà　shān　　wǒ cái bù cāi ne
大 山： 我才不猜呢！

Ok, let's go back then and review
the dialogues where Xiao Jiang
went to do some shopping in an antique
store.

214

dì sān shí yī kè zhì dì sān shí sān kè jié shù yǔ
# 第三十一课至第三十三课结束语

Well, that's all the time we have for today. In today's lesson we went over the dialogues from previous lessons. We reviewed the topic like:

liú míng　　lǚ xíng jì huà
刘明：《旅行计划》

dà shān
大山：Making travel plans.

lán lan　　yuē huì
兰兰：《约会》。

dà shān
大山：Having a meeting or engagement.

xiǎo jiāng　　gòu wù
小江：《购物》。

And shopping. We've got new lessons prepared for you next time, so make sure you don't miss it. Until then, good bye!

dì sān shí sì kè

## 第三十四课

dà shān　　nǐ men hǎo
**大山：** 你们好

lǐ hóng　　nǐ hǎo　　dà shān
**李红：** 你好，大山。

dà shān　　nǐ men zài liáo shén me ne
**大山：** 你们在聊什么呢？

lǐ hóng　　wǒ men zài liáo gāng cái kàn de diàn yǐng
**李红：** 我们在聊刚才看的电影。

dà shān　　áo　　nǎ ge diàn yǐng
**大山：** 噢，哪个电影？

xiǎo jiāng　　yīng xióng
**小江：**《英雄》。

dà shān　　yīng xióng　　nà bú shì nǐ zuì xǐ huan kàn de
**大山：**《英雄》？那不是你最喜欢看的

gōng fu piān ma
功夫片吗？

xiǎo jiāng　　hēi　　nǐ zěn me zhī dao de
小 江： 嘿， 你 怎么 知道 的？

dà shān　　wǒ dāng rán zhī dao le
大 山： 我 当 然 知道 了。

Ok, let's go back and look at the dialogues when Xiao Jiang was going to the movies.

dì sān shí wǔ kè
第三十五课

I say, no wonder you look so pretty today?

dà shān　　xiǎo dīng　　nǐ hǎo
大 山： 小 丁， 你 好。

xiǎo dīng　　nǐ hǎo　　dà shān lǎo shi　　qǐng nǐ chī xǐ táng
小 丁： 你 好， 大 山 老 师， 请 你 吃 喜 糖。

dà shān　　ō　　shì nǐ de xǐ táng
大 山： 噢， 是 你 的 喜 糖？

xiǎo dīng　　dāng rán bú shì　　wǒ hái méi yǒu nán péng you ne
小 丁： 当 然 不 是， 我 还 没 有 男 朋 友 呢！

dà shān　　nà　shì shuí de
大山：那是谁的？

xiǎo dīng　wǒ péng you jié hūn　　wǒ qù zuò bàn niáng
小丁：我朋友结婚，我去做伴娘。

dà shān　wǒ shuō　　nán guài nǐ jīn tiān zhè me piào liang ne
大山：我说，难怪你今天这么漂亮呢！

xiǎo dīng　xiè xie　　wèi le qù cān jiā hūn lǐ hái tè yì qù
小丁：谢谢！为了去参加婚礼还特意去

　　　　zuò le tóu fa
　　　　做了头发。

Ok, let's go back to the dialogues
and see how Xiao Ding had her
hair done for a special event.

dì sān shí liù kè
第三十六课

Xiao Jiang, this is a nice top.

dà shān　　xiǎo jiāng　zhè yī fu bú cuò
大山：小江，这衣服不错。

小江：xiǎo jiāng 我昨天在秀水街买的。
wǒ zuó tiān zài xiù shuǐ jiē mǎi de

大山：dà shān 多少钱？
duō shǎo qián

小江：xiǎo jiāng 才 <u>80</u> 块。
cái bā shí kuài

大山：dà shān <u>80</u>？也太贵了点(儿)吧！你没跟他
bā shí yě tài guì le diǎnr ba nǐ méi gēn tā
砍价吗？
kǎn jià ma

小江：xiǎo jiāng 砍了。砍价我可有经验了。
kǎn le kǎn jià wǒ kě yǒu jīng yàn le

大山：dà shān 噢，对了，我想起来了。
ō duì le wǒ xiǎng qǐ lái le

Ok, let's go back then and review the dialogues now, when Xiao Jiang was negotiating a price .

dì sān shí wǔ kè zhì dì sān shí liù kè jié shù yǔ
# 第三十五课至第三十六课结束语

Well, that's the end of our program for today. In today's lesson we went over the dialogues from previous lessons. We reviewed the topic like:

lǐ hóng　　kàn diàn yǐng
李红：《看电影》。

dà shān
大山：Going to the movies.

xiǎo jiāng　　kǎn jià
小江：《砍价》

dà shān
大山：Negotiating a price.

xiǎo dīng　　lǐ fà
小丁：《理发》。

dà shān
大山：Having your hair cut.

Hope you enjoy today's program. We've got new lessons prepared for you next time, so make sure you don't miss it. Until then, "再见".

suǒ yǒu rén：　zài jiàn.
所有人：再见！

dì sān shí qī kè
# 第三十七课

How did you meet at Ruifuxiang?

dà shān zài dǎ tài jí quán
（大山在打太极拳。）

liú míng　　nǐ hǎo　　dà shān　　zài duàn liàn ne
刘明： 你好， 大山， 在锻炼呢？

lǐ hóng　　nǐ hǎo　　dà shān
李红： 你好， 大山。

dà shān　　wǒ yì chuān shàng táng zhuāng tè bié xiǎng liàn tài
大山： 我一穿 上 唐 装特别想练太

jí quán
极拳。

lǐ hóng　　dà shān　　zhè jiàn táng zhuāng shì bú shì zài ruì fú
李红： 大山， 这件唐 装 是不是在瑞福

xiáng zuò de nà jiàn
祥 做的那件。

dà shān　　jiù shì nà tiān zuò de　　nǐ de qí páo zěn me yàng le
大山： 就是那天做的，你的旗袍怎么样了？

lǐ hóng　　hěn hǎo　　fēi cháng hé shēn
李红： 很好， 非常合身。

liú míng　　nǐ men zěn me zài ruì fú xiáng jiàn miàn le
刘明：你们怎么在瑞福祥 见 面 了？

dà shān　　kàn duì huà nǐ jiù zhī dao le
大山：看对话你就知道了。

Ok, let's go back then and review the dialogues now, when we were talking about some clothing customs made.

dì sān shí bā kè
## 第三十八课

Really? I couldn't tell.

xiǎo jiāng zài wánr　　lán qiú
（小 江 在 玩（儿）篮球。）

dà shān　　xiǎo jiāng　　qiú dǎ de bú cuò ma
大山：小 江，球打得不错嘛！

xiǎo jiāng　　nà dāng rán le　　wǒ kě shì yùn dòng jiàn jiàng
小江：那当然了，我可是运动 健将。

dà shān　　shì ma　　kàn bù chū lái
大山：是吗？看不出来。

xiǎo jiāng　wǒ hái zài yùn dòng huì shang dé le jiǎng ne
小 江：我还在运动 会上得了奖呢。

dà shān　ō　duì le
大 山：噢，对了。

Ok, let's go back then and review the dialogues and see how Xiao Jiang did during a track meet.

dì sān shí jiǔ kè
## 第三十九课

Goodbye!

liú míng dǎ diàn huà
（刘明 打电话。）

xiǎo dīng　liú lǎo bǎn　zhè shì wǒ de cí zhí bào gào　wǒ
小 丁：刘老板，这是我的辞职报告，我

yào qù liú xué le
要去留学了。

liú míng　hǎo ba　zhù nǐ xué yè yǒu chéng
刘 明：好吧，祝你学业有成。

xiǎo dīng　xiè xie
小 丁：谢谢！

liú míng　zài jiàn
刘 明：再见！

xiǎo dīng　zài jiàn
小 丁：再见！

lǐ hóng　nǐ hǎo
李 红：你好！

xiǎo jiāng　nǐ hǎo　　lǐ lǎo shī　　wǒ lái xiàng nín gào bié
小 江：你好！李老师，我来向您告别

lái le　　wǒ míng tiān jiù huí guó le
来了，我明天就回国了。

lǐ hóng　zhù nǐ yí lù píng ān
李 红：祝你一路平安！

xiǎo jiāng　lǐ lǎo shī　　hòu huì yǒu qī　　zài jiàn
小 江：李老师，后会有期。再见！

lǐ hóng　zài jiàn
李 红：再见！

Well one of Liu Ming's employee is resigning and Xiao Jiang is going home. Ok, let's go back then and review the dialogues, when we were talking about saying goodbye.

quán kè gào bié
# 全 课 告 别

Well, that brings the end of the very last episode of our series *Communicate in Chinese*. Hope you enjoy the series.

dà shān　ràng wǒ men zài zhè lǐ xiàng dà jiā shuō yì shēng
大 山：让 我们 在 这 里 向 大 家 说 一 声：

lǐ hóng　tiān xià méi tǒu bú sàn de yàn xí
李 红：天 下 没 有 不 散 的 宴 席。

xiǎo jiāng　hòu huì yǒu qī
小 江：后 会 有 期。

xiǎo dīng　wǒ men yǒng yuǎn shì péng you
小 丁：我 们 永 远 是 朋 友。

dà shān　wǒ men xī wàng zài xià yí xì liè de jié mù zài
大 山：我 们 希 望 在 下 一 系 列 的 节 目 再

yí cì jiàn
一 次 见

dào dà jiā
到 大 家。

liú míng　bú jiàn bú sàn
刘 明：不 见 不 散。

suǒ yǒu rén　zài jiàn
所 有 人：再 见！

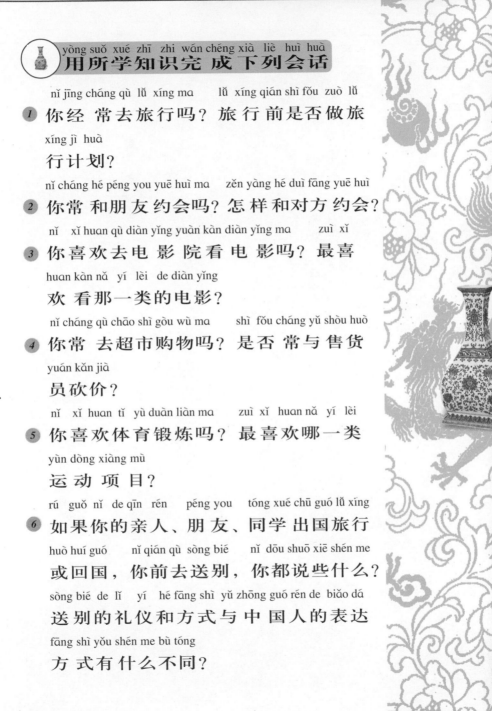

用所学知识完成下列会话

1. 你经常去旅行吗？旅行前是否做旅行计划？

2. 你常和朋友约会吗？怎样和对方约会？

3. 你喜欢去电影院看电影吗？最喜欢看那一类的电影？

4. 你常去超市购物吗？是否常与售货员砍价？

5. 你喜欢体育锻炼吗？最喜欢哪一类运动项目？

6. 如果你的亲人、朋友、同学出国旅行或回国，你前去送别，你都说些什么？送别的礼仪和方式与中国人的表达方式有什么不同？

### qǐng yòng xià mian suǒ gěi de cí zào jù
## 请用下面所给的词造句

| fàng jià 放假 | bú guò 不过 |
|---|---|
| zhì shǎo 至少 | zuì chū 最初 |
| jì rán ...... jiù ...... 既然……就…… | dàn ...... 但…… |
| zhí de 值得 | cái néng ...... 才能…… |
| bāo kuò 包括 | bǐ rú shuō ...... 比如说…… |
| yǒu ...... ma 有……吗？ | wèi dao 味道 |
| yí gòng 一共 | yǒu zī yǒu wèi 有滋有味 |
| yuē huì 约会 | hǎo xiàng 好像 |
| yāo qǐng 邀请 | kě shì 可是 |
| cān jiā 参加 | bǐ ...... 比…… |
| shùn biàn 顺便 | zhǐ chà 只差 |
| bú dàn ...... ér qiě ...... 不但……而且…… | xīn kǔ 辛苦 |
| tīng shuō 听说 | lí kāi 离开 |
| bù néng ...... hái yào ...... 不能……还要…… | shōu shi 收拾 |

tián kòng  gēn jǜ suǒ xué huì huà wán chéng xià liè jǜ zi
填空（根据所学会话完成下列句子）

nǐ hǎo            guāng lín
Ⓐ 你好！ _____ 光 临。

nǐ hǎo  xiǎo jiě           nà ge  cí píngná gěi
Ⓑ 你好！ 小姐， _____那个瓷瓶拿给

wǒ ma
我吗？

Ⓐ _____ 。

qǐngwèn  zhè shì shén me        de cí qì
Ⓑ 请 问， 这是什么_____ 的瓷器？

zhè shì míng cháo chóng zhēn shí qī de
Ⓐ 这是明 朝 崇 祯 时期的 _____ ，

yǐ yǒu jǐ bǎi nián le
_____ 已有几百年了。

zhè cí píng           wǒ zhēn xiǎng mǎi yí ge
Ⓑ 这瓷瓶 _____ ！我真 想 买一个。

## xiě zuò
## 写作

　　你有没有过和朋友约会、到商场购物和售货员砍价、看电影、去理发、参加体育运动等方面的经历？如有这方面的经历，请从中选出一个话题，写一篇 100 字以内的短文。

# 总词汇表
## Vocabulary List

### 第三十一课
### Lesson Thirty One

| 放假 | （动） | start holidays | |
| 到底 | （副） | exactly | (adv.) |
| 商量 | （动） | discuss | (v.) |
| 定(决定) | （动） | decide | (v.) |
| 海边 | （名） | seaside | (n.) |
| 开车 | （动） | drive | (v.) |
| 至少 | （副） | at least | (it'll take at least) |
| 游泳 | （动） | swim | (v.) |
| 桂林 | （专名） | Guilin | (proper n.) |
| 山水 | （名） | scenery | (n.) |
| 甲 | （动） | beat | (v.) |
| 天下 | （名） | world | (n.) |
| 省事 | | save effort | |
| 便宜 | （形） | cheap | (adj.) |
| 报 | （动） | register with | |

| 旅行社 | （名） | travel agency | (n.) |
|---|---|---|---|
| 旅游团 | （名） | tour team | (n.) |
| 资料 | （名） | material | (n.) |
| 三日游 | | three-days' tour | |
| 景点 | （名） | scenic spots | (n.) |
| 包括 | （动） | include | (v.) |
| 七星公园 | （名） | The seven Star Park | (n.) |
| 阳朔 | （专名） | Yangshuo | (proper n.) |
| 漓江 | （名） | Lijiang River | (n.) |
| 既然 | （副） | though | (adv.) |
| 值得 | （形） | worth | (adj.) |
| 蜡染 | （名） | batik art | (n.) |

# 第三十二课
## Lesson Thirty Two

| 约会 | （名、动） | Date | (n.& v.) |
|---|---|---|---|
| 新闻发布会 | （名） | Press Conference | (n.) |
| 安排 | （名） | arrangement | (n.) |
| 人民大会堂 | （名） | The Great Hall of the People | (n.) |

| 请柬 | （名） | invitation | (n.) |
|---|---|---|---|
| 电视台 | （名） | television station | (n.) |
| 电台 | （名） | radio station | (n.) |
| 报社 | （名） | newspaper | (n.) |
| 外国 | （形） | overseas | (adj.) |
| 记者 | （名） | journalist | (n.) |
| 发言稿 | （名） | speech | (n.) |
| 打印 | （动） | print | (v.) |
| 经济报社 | （名） | economic newspaper agency | (n.) |
| 邀请 | （动） | invite | (v.) |
| 参加 | （动） | attend | (v.) |
| 打扮 | （动） | dress up | |
| 重要 | （形） | important | (adj.) |
| 活动 | （名） | event | (n.) |
| 紧张 | （形） | nervous | (adj.) |
| 反正 | （副） | anyway | (adv.) |
| 男生 | （名） | boy | (n.) |
| 早点儿 | | early | (adv.) |
| 晚饭 | （名） | dinner | (n.) |

| | | | |
|---|---|---|---|
| 蛋糕 | （名） | cake | (n.) |
| 礼物 | （名） | present | (n.) |
| 忘了 | （动） | forget | (v.) |
| 中奖 | | win a prize | |
| 彩券 | （名） | lottery ticket | (n.) |
| 饺子 | （名） | dumpling | (n.) |

## 第三十三课
## Lesson Thirty Three

| | | | |
|---|---|---|---|
| 亚洲 | （名） | Asia | (n.) |
| 最大的 | （形） | largest | (adj.) |
| 古玩城 | （名） | Curio City | (n.) |
| 顺便 | | by the way | |
| 回国 | | go back to home | (country) |
| 父母 | （名） | parents | (n.) |
| 参谋 | （动） | advise | (v.) |
| 瓷器 | （名） | ceramic ware | (n.) |
| 世界 | （名） | world | (n.) |
| 闻名 | （形） | famous, renowned | (adj.) |
| 瓷瓶 | （名） | porcelain vase | (n.) |

| | | | |
|---|---|---|---|
| 明朝 | （名） | Ming dynasty | (n.) |
| 崇祯 | （人名） | Chongzhen (person's name ) | |
| 时期 | （名） | time period | (n.) |
| 青花瓷 | （名） | blue and white porcelain | (n.) |
| 昂贵 | （形） | expensive | (adj.) |
| 当然 | （副） | of course | |
| 体积 | （名） | volume | (n.) |
| 不但……而且…… | | not only...but also... | |
| 携带 | （动） | carry | (v.) |
| 传统 | （名） | tradition | (n.) |
| 传统的 | （形） | traditional | (adj.) |
| 工艺 | （名） | craft | (n.) |
| 制品 | （名） | ware | (n.) |
| 景泰蓝 | （名） | *cloisonné* | (n.) |
| 香蕉 | （名） | banana | (n.) |
| 新鲜 | （形） | fresh | (adj.) |
| 哈密瓜 | （名） | Hami melon | (n.) |
| 新疆 | （专名） | Xinjiang | (propern.) |
| 空运 | （形） | air-freight | (adj.) |

| | | | |
|---|---|---|---|
| 倍(儿)甜 | | super sweet | |
| 两块八 | | 2.8 Yuan | |
| 三块多 | | over three Yuan | |
| 斤 | （量） | jin(measure word) | |
| 称（重量） | （动） | weigh(weight) | (v.) |
| 莱阳 | （名） | Laiyang | (propern n.) |
| 梨 | （名） | pear | ( n.) |
| 正宗 | （形） | genuine | ( adj.) |
| 山东 | （专名） | Shandong | (propern n.) |
| 中国城 | （名） | Chinatown | ( n.) |
| 水灵 | （形） | juicy | ( adj.) |
| 真不愧 | | really do justice to... | |
| 随时 | （副） | at anyitme | |
| 纠正 | （动） | correct | ( v.) |

## 第三十四课
## Lesson Thirty Four

| | | | |
|---|---|---|---|
| 电影 | （名） | movie | (n.) |
| 英雄 | （名） | hero | (n.) |
| 导演 | （名） | director | (n.) |

| | | | |
|---|---|---|---|
| 张艺谋 | （人名） | Zhang Yimou(person's name) (propern.) | |
| 奥斯卡 | （专名） | Oscars （academy awards) | |
| 影迷 | （名） | Film buff | (n.) |
| 提名 | （名、动） | nominate | (n.v.) |
| 不过 | | but | |
| 题材 | （名） | theme,subject | (n.) |
| 类 | （量） | type | (n.) |
| 恐怖片 | （名） | horror film | (n.) |
| 科幻片 | （名） | science fiction film | (n.) |
| 惊险片 | （名） | thriller film | (n.) |
| 喜剧片 | （名） | comedy film | (n.) |
| 星球大战 | （专名） | Star Wars （name of film) (proper name) | |
| 刺激 | （形） | exciting, thrilling | (adj.) |
| 痛苦 | （名） | pain | (n.) |
| 痛苦的 | （形） | painful | (adj.) |
| 功夫片 | （专名） | Kung Fu film, (or martial arts film) (proper n.) | |

| 少林寺 | （专名） | Shaolin Temple (name of film) | (proper n.) |
| 卧虎藏龙 | （专名） | Crouching tiger hidden dragon (name of film) | (proper n.) |
| 客户 | （名） | client | (n.) |
| 京剧 | （专名） | Peking Opera | (proper n.) |
| 剧院 | （名） | theatre | (proper n.) |
| 感觉 | （名） | feeling | (n.) |
| 有滋有味 | （形） | fascinated and interested | (adj.) |
| 咱们 | （代） | we, our | (pron.) |
| 国粹 | （名） | quintessence of Chinese culture | (n.) |
| 年轻人 | （名） | young people | (n.) |
| 流行歌曲 | （名） | pop song | (n.) |
| 迪斯科 | （名） | disco | (n.) |
| 文化 | （名） | culture | (n.) |
| 尴尬 | （形） | embarrassed | (adj.) |
| 脸谱 | （名） | face mask | (n.) |
| 花旦 | （专名） | young women character | (proper n.) |

| 丑角 | （名） | clown character | (n.) |
| 青衣 | （专名） | respectable women character | |
| | | | (propern.) |
| 品 | （动） | savour | (v.) |
| 味道 | （名） | essence, flavour | (n.) |
| 专门 | （副） | especially | (adv.) |
| 学唱 | （动） | learn to sing | |

## 第三十五课
## Lesson Thirty Five

| 去（一点儿头发） | | | |
| | （动） | take off | |
| 理发 | （动） | haircut | (n.) |
| 片刻 | （副） | moment | (adv.) |
| 头发 | （名） | hair | (n.) |
| 样式 | （名） | type | (n.) |
| 发型 | （名） | hairstyle | (n.) |
| 烫发 | （动） | hair perm | |
| 盘头 | （动） | styled | (formal hairdo) |
| 染发 | （动） | dye hair | |

| 好像 | | seem to be | |
|------|------|------------|------|
| 非常 | （副） | very | (adv.) |
| 重要 | （形） | important | (adj.) |
| 猜 | （动） | guess | (v.) |
| 结婚 | （动） | get married | |
| 当 | （动） | be | (v.) |
| 伴娘 | （名） | bridesmaid | (n.) |
| 打扮 | （动） | make (someone) look | |
| 新娘 | （名） | bride | (n.) |
| 丑 | （形） | ugly | (adj.) |
| 样板 | （名） | sample sheet | (n.) |
| 合适 | （动、形） | suit | (v.) |
| | | suitable | (adj.) |
| 皮肤 | （名） | skin | (n.) |
| 比较 | （副） | quite | (adv.) |
| 深棕色 | （形） | dark brown | (adj.) |
| 稍微 | （副） | a little bit | |
| 洗头 | （动） | hair wash | |
| 分缝 | （动） | part (hair) | |
| 吹风 | （动） | blowdry | (v.) |

## 第三十六课
## Lesson Thirty Six

| 秀水街 | （专名） | Xiushui Street | (proper n.) |
|---|---|---|---|
| 有名 | （形） | well-known | (adj.) |
| 砍价 | （动） | negotiate | (price haggling) |
| 转转 | （动） | look around | |
| 睡衣 | （名） | pyjamas | (n.) |
| 贵 | （形） | expensive | (adj.) |
| 便宜 | （形） | cheap | (adj.) |
| 仔细 | （副） | close | (v.) |
| 真丝 | （名） | pure silk | (n.) |
| 没准儿 | | maybe | (adv.) |
| 赚钱 | （动） | make money | |

## 第三十七课
## Lesson Thirty Seven

| 陪 | （动） | accompany | (v.) |
|---|---|---|---|
| 中式 | （形） | Chinese style | (adj.) |
| 服装 | （名） | Garment, clothing | (n.) |
| 唐装 | （名） | Chinese style jacket | (n.) |

| | | | |
|---|---|---|---|
| 如愿以偿 | | wish comes true | |
| 有名的 | （形） | renowned | (adj.) |
| 老字号 | （名） | time-honoured brand | (n.) |
| 挑 | （动） | pick（choose） | (v.) |
| 面料 | （名） | material | (n.) |
| 量 | （动） | measure | (v.) |
| 尺寸 | （量） | size | (n.) |
| 没问题 | | no problem | |
| 选 | （动） | select | (v.) |
| 薄 | （形） | thin | (adj.) |
| 适合 | （形） | suitable | (adj.) |
| 丝巾 | （名） | silk scarf | (n.) |
| 不如 | | better off | |
| 质地 | （名） | texture | (n.) |
| 肩 | （名） | shoulder | (n.) |
| 袖口 | （名） | sleeves | (n.) |
| 身长 | （名） | torso length | (n.) |
| 单据 | （名） | receipt | (n.) |
| 巧合 | （名） | coincidence | (n.) |

| 旗袍 | （名） | Qipao - Mandarin-collar dresswith side splits | (n.) |
| 婚礼 | （名） | wedding | (n.) |
| 逛逛 | （动） | look around | |

## 第三十八课
## Lesson Thirty Eight

| 开 | （动） | hold, have | (v.) |
| 运动会 | （名） | sports meeting | (n.) |
| 报 | （动） | enter （one's name for） | (v. |
| 项目 | （名） | event | (n.) |
| 米 | （量） | metre | (measure word) |
| 队长 | （名） | leader | (n.) |
| 拉拉队 | （名） | cheerleading squad | (n.) |
| 第一名 | （数） | first place | (numeral) |
| 加油儿 | （动） | go, come on | (n.) |
| 跑 | （动） | run | (v.) |
| 真快 | | really fast | |
| 超 | （动） | out, super | (adv.) |
| 水平 | （名） | level | (n.) |

| | | | |
|---|---|---|---|
| 发挥 | （动） | perform | (v.) |
| 谈不上 | | I don't know about | |
| 只能 | （副） | just | (adv.) |
| 正常 | （形） | normal | (adj.) |
| 第二名 | （数） | Second Place | (numeral) |
| 第几名 | | which place | |
| 不好意思 | | I'm embarrassed to say | |
| 亚军 | （名） | Second place, runner-up | (n.) |
| 冠军 | （名） | First place, champion | (n.) |
| 真遗憾 | | what a pity | |
| 领奖台 | （名） | award podium | (n.) |
| 只差 | （副） | only... away from | |
| 领奖 | （动） | claim prize | |
| 奖品 | （名） | prize | (n.) |
| 一副 | | a set, a pair | |
| 羽毛球 | （名） | badminton | (n.) |
| 球拍 | （名） | racquet | (n.) |
| 满头大汗 | | all sweaty | |
| 下山 | | go down the mountain | |

| | | | |
|---|---|---|---|
| 摘 | （动） | pick | (v.) |
| 桃子 | （名） | peach | (n.) |
| 功劳 | （名） | credit | (n.) |
| 哑 | （形） | hoarse | (adj.) |
| 喊 | （动） | shout | (v) |
| | | shouting | (adj.) |
| 开玩笑 | | joking | (adj.) |
| 辛苦 | （形） | hard work | (n.) |
| 一整天 | | a whole day | |
| 明年 | （名） | next year | |

## 第三十九课
## Lesson Thirty –nine

| | | | |
|---|---|---|---|
| 告别 | （动、名） | farewell | (v.& n.) |
| 沏茶 | （动） | make tea | |
| 花茶 | （名） | jasmine tea | (n.) |
| 龙井茶 | （名） | dragon well tea | (n.) |
| 愉快 | （形） | pleasant | (adj.) |
| 进步 | （名） | progress | (n.) |

| | | |
|---|---|---|
| 老外 | （名） | Laowai, foreigner, amateur (n.) |
| 以前 | （名） | before (adv.) |
| 指 | （动） | refer to |
| 才 | （副） | only then |
| 外行 | （名） | amateur (n.) |
| 土生土长 | | locally born and bred |
| 收拾 | （动） | pack up |
| 舍不得 | | can't bear |
| 离开 | （动） | leave (v.) |
| 没问题 | | no problem |
| 顺风 | | bon voyage |
| 送君千里 | | you can send a friend off for a thousand miles |
| 总有一别 | | eventually you have to part |
| 红茶 | （名） | black tea (n.) |
| 一路平安 | | have a safe journey |
| 后会有期 | | We'll meet again |